MIGNUS WISARD

ET LE SECRET DE LA MAISON TRAMBLEBONE

Ian Ogilvy vit en Californie du Sud, avec sa femme Kitty et ses deux beaux-fils. Bien qu'il soit l'auteur de plusieurs romans et d'une pièce de théâtre, il est surtout connu, aux États-Unis, comme acteur. Il a repris, en particulier, le rôle du célèbre espion « le Saint » à la suite de Roger Moore.

Éric Héliot vit à Rouen. Illustrateur en jeunesse, mais aussi pour la presse et la bande dessinée adultes, il a illustré plus d'une cinquantaine d'ouvrages. Avec l'album *Piano Piano* (éditions Sarbacane), il a obtenu le prix Words and Music 2006 à la Foire internationale de Bologne.

Pour Barnaby et Matilda

Ouvrage publié originellement par Oxford University Press
sous le titre *Measle and the wrathmonk*

Loi n° 49 956 du 16 juillet 1949
sur les publications destinées à la jeunesse.
Dépôt légal : avril 2008
ISBN : 978-2-7470-2635-2
Imprimé en France

Ian Ogilvy

Traduit de l'américain par Marie-Hélène Delval
Illustré par Éric Héliot

BAYARD JEUNESSE

1. Une horrible maison

Mignus Wisard avait dix ans et demi. Petit, frêle et maigrichon, le ventre constamment tenaillé par la faim, il avait un petit nez retroussé, des pommettes hautes, des yeux d'un profond vert émeraude et un large sourire avenant quand il avait l'occasion de sourire. Des épis de cheveux bruns, longs où ils auraient dû être courts, courts où ils auraient dû être longs, lui faisaient une coiffure des plus bizarres. La raison en était que Mignus les coupait lui-même à l'aide d'un couteau de cuisine émoussé, taillant dans la masse lorsque les mèches lui tombaient devant les yeux. Sa tignasse hirsute était rarement lavée, de même que ses vêtements, et il sentait plutôt mauvais, particulièrement par temps chaud. Mais Mignus ne risquait guère de souffrir de la chaleur dans l'horrible maison froide où il vivait, non par choix, mais en raison des *circonstances.*

C'était la dernière maison au bout d'une rue morne et sale, bordée de maisons tout aussi mornes et sales.

Trois choses, toutefois, la différenciaient des autres. D'abord, son aspect. Elle était entièrement noire, avec un haut toit pentu, de hautes fenêtres étroites et sombres semblables à des yeux aveugles, de hautes cheminées entartrées de suie, pointant vers le ciel comme des doigts crasseux.

Les autres maisons de la rue n'étaient que misérables. Celle où vivait Mignus évoquait un lieu où une chose affreuse serait survenue, et pourrait bien survenir de nouveau à la prochaine occasion.

La maison avait pour deuxième particularité d'être la seule à être habitée. Les autres avaient été désertées par leurs occupants depuis très longtemps, et des planches condamnaient leurs ouvertures. Quelqu'un se tenant à l'entrée de la rue aurait pu croire que ces habitations étaient toutes à l'abandon. Mais, en y regardant un peu mieux, il aurait remarqué, au fond, une faible lueur à la lucarne d'un grenier, seul signe de vie sur toute la longueur de la voie.

La troisième chose était également la plus étrange. De jour comme de nuit, et à n'importe quelle saison, du printemps à l'été, de l'automne à l'hiver, un petit nuage noir, immobile au-dessus du lugubre toit, lâchait sur la maison – et rien que sur elle – une averse continue, régulière et obstinée.

Cette bâtisse appartenait à Basil Tramblebone, et Basil Tramblebone était le tuteur légal de Mignus Wisard.

Mignus vivait là avec son tuteur pour unique compagnie – et son tuteur n'était pas une bonne compagnie. Basil Tramblebone ne parlait que fort peu, car il haïssait tout le monde. Juste retour des choses, quiconque ayant rencontré Basil Tramblebone le haïssait également.

Il était très grand et très maigre, toujours vêtu de noir : veste noire, chemise noire et cravate noire, pantalon noir, chaussettes noires et souliers noirs. Ses cheveux gras étaient noirs, partagés par une raie au milieu, et collés à son crâne avec du cirage à chaussures noir. Seuls son visage et ses mains n'étaient pas noirs. Son visage était blanc, comme si on l'avait vidé de son sang pour lui injecter du lait à la place. Ses yeux, fixes et froids, étaient aussi peu expressifs que des yeux de poisson. La peau de ses longues mains osseuses, couleur de bougie, était si desséchée qu'elle émettait un bruit de râpe lorsqu'il frottait ses paumes l'une contre l'autre en signe de contentement. Mais, Basil Tramblebone étant rarement content, le bruit de râpe se produisait rarement.

Si, à l'extérieur, la maison de Basil Tramblebone était sombre, lugubre et laide à pleurer, à l'intérieur, elle était pire encore. Toutes les pièces sentaient mauvais – chacune à sa manière. C'était si effroyable que Mignus n'osait pénétrer que dans la cuisine, la salle de bains et le grenier, les seuls endroits où il n'était pas à moitié mort de peur.

Pour rien au monde, il ne serait entré dans ce qui était censé être sa chambre. Elle abritait une énorme armoire en chêne, pleine de vêtements qui ne lui appartenaient pas, humides et imprégnés d'une odeur de moisissure.

Un jour, Mignus avait rassemblé tout son courage pour les examiner. C'est ainsi qu'il avait découvert la veste. Elle était taillée dans un tissu grossier et elle avait *trois* manches, deux à l'endroit habituel, et une troisième dans le dos.

Quand il avait trouvé l'audace d'interroger Basil, celui-ci l'avait prié de se mêler de ses affaires, ajoutant que, s'il *tenait* à le savoir, les vêtements contenus dans l'armoire avaient été oubliés là, des années auparavant, par des amis à lui dont certains étaient peut-être quelque peu *différents.*

L'armoire occupait un angle obscur de la chambre, et un grand lit noir qui ressemblait à un cercueil lui faisait face. Des rideaux de velours noirs pendaient aux fenêtres, dont les vitres étaient badigeonnées de noir, si bien qu'on ne pouvait pas regarder dehors. Avec ses murs, son plafond et son plancher également peints en noir, cette chambre aurait donné des cauchemars à celui qui se serait risqué à y passer la nuit. Mignus ne s'y risqua pas.

Il dormait sur une pile de vieux tapis, dans la cuisine, blotti contre l'antique poêle de fonte, le seul endroit où il faisait chaud dans cette affreuse maison.

Basil Tramblebone assurait la scolarité de Mignus à domicile. Deux fois par semaine, il s'asseyait avec son élève à la cuisine et il lui enseignait, par exemple, que A était la première lettre de l'alphabet, Z la dernière, et que les autres se trouvaient entre les deux. Le cours de mathématiques ne valait guère mieux. Tout ce que Basil avait su lui apprendre était que deux et deux font sept cent quarante-trois.

Mignus découvrit vite que c'était faux. Et, puisque Basil se refusait à lui inculquer quoi que ce soit d'intéressant, Mignus apprit à lire seul, avec les prospectus déposés dans leur boîte aux lettres, et il s'exerça au calcul de base en étudiant les factures qui tombaient sur le paillasson de l'entrée.

Mignus haïssait Basil Tramblebone et, naturellement, Basil Tramblebone haïssait Mignus, comme il haïssait n'importe qui. Il s'occupait de Mignus parce que son père et sa mère n'avaient pas survécu à une rencontre avec un serpent quand leur fils avait à peine quatre ans, laissant le pauvre enfant orphelin.

Mignus tenait cette histoire de Basil, qui – Mignus l'avait vérifié – disait toujours la vérité. Sur ce point, cependant, il avait un doute, peut-être parce que ses parents lui manquaient cruellement. Aussi, au plus profond de son cœur, Mignus restait persuadé que sa mère et son père étaient vivants quelque part, et qu'un jour il les verrait revenir.

Ses parents avaient déposé une forte somme à la banque, et maintenant elle appartenait à Mignus. Mais un juge avait déclaré que Mignus était trop jeune pour gérer autant d'argent, et trop jeune également pour vivre seul. Il avait donc désigné Basil Tramblebone – qui disait être un cousin de Mignus Wisard au douzième degré et, de ce fait, son plus proche parent – pour s'occuper de lui et gérer ses biens.

Bizarrement, bien que Mignus ait été trop petit à l'époque pour s'en souvenir, le juge ressemblait à Basil : mêmes vêtements noirs, mêmes yeux de poisson, même face blafarde. Il avait la même façon de parler que Basil et, chaque fois qu'il regardait Basil, il lui adressait un sourire de crocodile comme pour approuver ce que celui-ci venait de dire.

Parmi les trois pièces où Mignus consentait à entrer, sa préférence allait au grenier.

La salle de bains sentait mauvais ; il coulait des robinets une eau brune, où flottaient des particules verdâtres. Mignus se lavait donc rarement. Mais, au moins, il y avait une fenêtre, et parfois Mignus grimpait sur le siège des cabinets pour regarder la sinistre gare de triage, à l'arrière de la maison, en rêvant de partir vivre ailleurs.

La cuisine était chaude et sèche, mais elle puait le chou pourri et était infestée d'énormes cafards. Certains étaient si gros et si coriaces que, lorsque Mignus marchait dessus, ils ne *craquaient* pas sous sa semelle ; ils gigotaient de façon répugnante et, dès que Mignus soulevait le pied, ils détalaient, indemnes, et se réfugiaient sous le poêle.

Quant au grenier, Mignus ne l'avait découvert que récemment, car Basil ne l'avait pas autorisé à y monter auparavant. Le garçon se doutait bien qu'il se passait là-haut quelque chose d'intéressant, car Basil restait des heures sous les combles. Mignus avait pris l'habitude de tendre l'oreille, en bas de l'escalier, et il lui était arrivé d'entendre des bruits incompréhensibles.

Puis, un beau jour, environ six mois plus tôt, Basil avait dit :

– Viens avec moi, Mignus !

Et il l'avait conduit par l'étroite volée de marches jusqu'à la mystérieuse pièce mansardée. Le garçon s'était figé sur le seuil, bouche bée.

Il y avait là le plus grand – et certainement le plus beau – modèle réduit de chemin de fer du monde.

De ce moment, le grenier devint pour Mignus l'unique lieu où il pouvait séjourner, même s'il lui faisait toujours peur, car le garçon sentait une présence dans les chevrons. Il devinait des mouvements dans l'ombre des poutres, et avait aperçu une fois une paire d'yeux rougeoyants. Mignus préférait ne pas savoir ce que c'était, du moins tant que *ça* ne se montrait pas. Il n'y avait pas de cafards, au grenier, c'était déjà bien. D'ailleurs, chose bizarre, il n'y avait pas le moindre insecte, alors qu'il en grouillait de toutes sortes partout ailleurs dans la maison.

Mignus était fasciné par le circuit de trains. Celui-ci occupait, au centre du grenier, une table si vaste qu'il n'y avait qu'un étroit passage entre son rebord et le mur. Heureusement, Mignus et Basil n'étant guère épais, ils n'avaient pas trop de mal à s'y glisser.

Chaque détail du décor était d'une précision incroyable.

On y reconnaissait une version miniaturisée de la gare de triage que Mignus observait par la fenêtre de la salle de bains. Les tas de combustible étaient composés de minuscules morceaux de vrai charbon, les lampadaires déversaient

une pâle lumière jaune, et de l'eau sale courait dans les tout petits caniveaux.

Mais, au-delà, Basil avait transformé le paysage. À la place des alignements de masures crasseuses – celles que Mignus, grimpé sur le siège des cabinets, apercevait de l'autre côté des voies –, il avait créé une sombre forêt de pins aux troncs si serrés qu'on ne distinguait rien au travers. De curieuses petites maisons s'élevaient çà et là, dans des clairières. Elles n'avaient rien de masures. Elles étaient bâties en rondins, avec des cheminées de pierre et un porche devant chaque façade, et Mignus se disait que, s'il devait habiter ce décor, c'est dans l'une d'elles qu'il aimerait vivre.

Quand Basil jouait avec ses trains – et s'il était de bonne humeur –, il permettait à Mignus de se tenir près de lui, à condition qu'il ne touche à rien. Mignus avait vite constaté que le modernisme n'intéressait pas Basil. Il n'y avait ni engins Diesel ni voies électrifiées ; rien que des locomotives à vapeur, tirant deux sortes de convois : des trains de voyageurs et des trains de marchandises, tous reproduits dans leurs moindres détails.

Chaque fois, Mignus se tenait parfaitement immobile et silencieux (car Basil Tramblebone détestait le bruit et l'agitation) et, chaque fois, il découvrait de nouveaux aménagements dans le décor. C'était ce qu'il aimait le mieux lorsqu'il montait au grenier pour regarder Basil jouer avec ses trains.

Un jour, il vit que, de la cheminée d'un des chalets de la forêt, Basil avait fait sortir une fine volute de fumée ; un autre jour, qu'il avait bâti un réservoir au bord des voies et, quand un train de marchandises s'arrêtait dessous, un filet d'eau venait remplir la chaudière de la locomotive.

Un autre jour encore, Mignus remarqua que Basil avait ajouté un lac au milieu de la forêt. L'eau n'était pas réelle, ce qui le déçut, mais simulée par un miroir encastré, entouré par de petits sapins. Ça faisait tout de même très vrai, et la façon dont le miroir reflétait les arbres et les rochers de la rive était peut-être plus convaincante que si le lac avait effectivement contenu de l'eau.

Mignus devait reconnaître que Basil était adroit de ses mains. Il semblait même qu'il pouvait fabriquer n'importe quoi, du moment que c'était minuscule. Tout était fignolé. Les fenêtres des maisons miniatures étaient équipées de véritables vitres, les feuilles des arbres paraissaient prêtes à tomber à l'arrivée de l'automne, les pierres pavant la chaussée semblaient avoir été usées par des milliers de pas.

Des personnages animaient ce décor. Des figurines de plastique peint étaient disposées un peu partout ; elles représentaient des gens dans leurs activités quotidiennes – faisant leurs courses, discutant à un coin de rue, attendant un train sur le quai. Il y avait même quelques animaux : un petit chien noir et blanc reniflait le pied d'un réverbère, un chat était allongé sur un rebord de fenêtre et, tout au fond de la forêt, une famille d'ours bruns se promenait sur la rive du lac.

Pendant qu'il jouait avec ses trains, Basil Tramblebone vidait une boîte entière de beignets recouverts de sucre et avalait le contenu d'une cruche de limonade. Des miettes, des grains de sucre et, de temps en temps, quelques gouttes de boisson pétillante tombaient sur la table. Basil gardait la boîte et la cruche près de lui. Mignus n'avait jamais droit ni à un beignet, ni à un verre de limonade ; Basil ne lui en offrait jamais, et Mignus n'osait pas réclamer. Il fixait les miettes en espérant que, peut-être, Basil aurait besoin de se rendre aux toilettes. Alors, il en profiterait pour mouiller subrepticement son doigt, l'appliquer sur les miettes de sucre et de beignet, et les déguster. Mais il n'eut jamais cette chance, car Basil n'allait jamais aux toilettes, pas même après avoir dévoré une boîte de beignets et englouti un litre de limonade.

Mignus souffrait terriblement de l'absence de ses parents. Il n'arrivait pas à se rappeler leurs visages, étant donné qu'il était bien jeune à l'époque de leur rencontre fatale avec le serpent.

Néanmoins, il aurait tant voulu que ce soient eux qui s'occupent de lui, et pas Basil Tramblebone ! Basil Tramblebone n'aimait s'occuper de rien ni de personne, à l'exception de lui-même et de ses trains, évidemment. Il mangeait les meilleurs steaks, et laissait le gras à Mignus. Il se préparait des frites et servait à Mignus des pommes de terre bouillies, souvent dures à l'intérieur parce qu'elles n'étaient pas assez cuites.

Les chaussettes noires de Basil Tramblebone étaient en soie, de même que ses caleçons noirs. Mignus, lui, n'avait pas de chaussettes, et il ne possédait que deux slips, dont les élastiques avaient lâché depuis longtemps.

Mais Basil ne se souciait que de ses trains, il passait des heures et des heures à aménager son circuit, et puisait sans compter dans l'argent de Mignus pour se procurer les accessoires les plus coûteux.

Mignus n'accordait guère d'importance à l'argent dépensé pour les modèles réduits, car c'était sûrement le plus beau jeu de trains du monde, et il aimait le regarder. D'un autre côté, il n'aimait pas voir Basil consacrer de telles sommes à ses chaussettes et ses caleçons en soie, alors que lui-même n'avait que deux slips aux élastiques détendus. Et il aimait encore moins que Basil achète les meilleurs steaks et d'excellentes frites avec l'argent des Wisard sans lui permettre d'en manger. Mignus trouvait ça parfaitement injuste.

Une nuit, couché en boule contre le poêle, il eut une idée. Il n'arrivait pas à s'endormir, parce que les cafards faisaient la fiesta dans la cuisine – si toutefois des cafards peuvent faire une fiesta. Ça cliquetait, ça crissait, ça tip-tapait et, comme tous ces petits bruits de pattes l'empêchaient de trouver le sommeil, il décida de réfléchir.

C'est ainsi qu'il eut une idée, une idée brillante quoique dangereuse, il devait le reconnaître. Mais les meilleures idées le sont toujours, et Mignus se sentait prêt à courir le risque.

Le lendemain, au déjeuner, alors que Basil dévorait des saucisses grillées, du bacon et des pommes de terre sautées, assaisonnés de ketchup – tandis que Mignus devait se contenter d'un morceau de pain rassis et d'un peu d'eau dans un gobelet en carton –, le garçon dit :

–Au fait, monsieur Tramblebone, la banque a appelé, ce matin. Ils voudraient vous voir.

–La banque ? fit Basil, fixant Mignus de son regard de poisson. Quand ?

–Vous dormiez encore, monsieur, mentit Mignus avec aplomb. Une histoire d'argent en surplus.

–De l'argent ?

–Oui. De l'argent pour nous, bien sûr. Ils voudraient régler ça avec vous, ils ont parlé d'investissement.

–D'invessstisssement ?

Basil sifflait toujours comme un serpent lorsqu'il prononçait la lettre s.

–Oui, monsieur Tramblebone. Ils disaient que c'était une trop grosse somme pour qu'on la laisse sur un simple compte courant.

–Une grossse ssssomme ?

–Oui.

–Je vais leur téléphoner.

–Bien sûr, monsieur. Le problème, c'est que le téléphone a l'air d'être en dérangement. Il ne fonctionne plus, monsieur.

–Il ne fonctionne plus ?

–Non, monsieur.

Le téléphone ne fonctionnait plus pour la simple raison que Mignus l'avait débranché. Nerveux, il regarda Basil composer le numéro, garder le récepteur à l'oreille un moment, puis raccrocher en sifflant :

–Que c'est asssommant !

Il enfila son long manteau noir, prit son long parapluie noir qui évoquait une chauve-souris endormie :

–Je sssors, Mignusss. Je vais à la banque. Sssois sssage et ne touche à rien. À rien, tu entends ?

Basil sortait rarement. Il se faisait livrer l'alimentation par le supermarché voisin et commandait ses vêtements et les accessoires pour son circuit sur catalogue, il n'avait donc pas besoin de quitter la maison.

Quand la porte se referma derrière son tuteur, Mignus prit conscience que, d'aussi loin qu'il s'en souvienne, il se trouvait seul dans la maison pour la première fois. Et d'abord, il eut peur. Puis il se dit : « Une maison ne peut pas te faire de mal. Une maison n'est ni un cambrioleur, ni un assassin, ni rien de ce genre. Alors, de quoi as-tu peur ? »

Cette réflexion le rassura un peu, mais pas complètement.

À travers une fente de la porte, il regarda Basil remonter l'allée menant à la rue. Un morceau du nuage qui surplombait la maison se détacha et se mit à le suivre, lâchant une petite averse sur le parapluie ouvert.

Au bout de l'allée, Basil prit à droite, en direction des beaux quartiers, où se trouvait la banque.

Il devrait y aller à pied, parce qu'il ne possédait pas de voiture, et qu'aucun bus ne desservait le secteur de la gare de triage. La banque était à environ deux kilomètres, ce qui faisait quatre kilomètres aller et retour, et, malgré ses longues jambes d'araignée, Basil en avait pour un bout de temps.

« Oui, un bon bout de temps », pensa Mignus.

Plus de temps qu'il ne lui en fallait.

2. Le grenier

La brillante idée de Mignus était la suivante : dès qu'il se serait débarrassé de Basil Tramblebone, il grimperait au grenier, pousserait la porte, irait se percher sur le haut tabouret de son tuteur et enclencherait l'interrupteur principal, celui qui activait l'ensemble du réseau.

Il aurait alors une bonne heure devant lui pour jouer avec le plus grand et certainement le plus beau modèle réduit de chemin de fer du monde.

Bien entendu, l'idée de Mignus n'était pas si brillante. Dès son arrivée à la banque, Basil Tramblebone apprendrait qu'il n'avait pas le moindre centime de plus sur son compte. Il découvrirait alors le double mensonge, ce qui le rendrait fou furieux. Et, quand Basil Tramblebone était fou furieux, la situation de Mignus devenait pire que jamais. Mais Mignus ne pensait à rien de tout ça, tant il se réjouissait de profiter du merveilleux circuit en toute tranquillité.

Il ne laisserait pas non plus passer l'opportunité de se mettre quelque chose sous la dent. Mignus courut à la cuisine – qui empestait comme jamais – et ouvrit l'antique réfrigérateur.

Par malchance, il n'y restait rien, à part quelques carottes fripées, oubliées dans un sac en papier au fond du casier à légumes. Mignus n'aimait pas particulièrement les carottes, mais il n'en avait pas mangé depuis si longtemps qu'il en avait oublié le goût. Aussi fourra-t-il le sac dans sa poche avant de partir vers l'escalier.

Il gravit les marches quatre à quatre et arriva, essoufflé, au dernier étage. La porte du grenier était ouverte. Mignus entra, examina l'immense table en prenant soin de ne pas regarder du côté des poutres.

Cela faisait bien un mois qu'il n'était pas monté. Y avait-il du nouveau ? Des éléments qui n'étaient pas là avant ? Il parcourut le décor des yeux.

Oui, il y avait du changement. Pas sur le circuit lui-même – les voies et les trains étaient disposés comme à l'ordinaire, et aucun bâtiment n'avait été transformé. Cependant, Basil avait fait bouger plusieurs personnages, les plaçant en position périlleuse. Derrière la gare de triage, par exemple, un homme en bleu de travail, coiffé d'un casque de chantier jaune, était assis au bord d'une excavation creusée au milieu de la chaussée.

Il tenait entre ses mains ce qui semblait être un faisceau de câbles. De toute évidence, Basil avait voulu mettre en scène un ouvrier en train de réparer des lignes électriques. Mais ce n'était pas tout. Car, derrière l'électricien – et hors de sa vue – se tenait un autre personnage, inclinant un seau d'eau. Mignus voyait fort bien que l'eau était sur le point d'inonder l'homme aux câbles. L'alliance de l'eau et de l'électricité pouvait être mortelle, le garçon ne l'ignorait pas. Il fronça les sourcils : c'était bizarre.

Quoi d'autre ? Ah oui ! Au cœur de la forêt, les trois ours avaient quitté la rive du lac-miroir. Ils encerclaient un sapin et en fixaient le sommet d'un air furieux. Et, perchée tout là-haut, une figurine représentant une petite fille en uniforme de jeannette s'accrochait désespérément au tronc.

Mignus chercha des yeux d'autres nouveautés, et remarqua, près d'une voie de garage, un groupe de gens penchés sur quelque chose. En regardant de plus près, il découvrit que ce quelque chose était une vieille femme. Et les personnages qui l'entouraient étaient occupés à la ficeler sur les rails !

« Vraiment bizarre... », pensa de nouveau Mignus. Qu'est-ce qui avait pu pousser Basil à inventer une scène pareille ? Et celle-ci : sur la place, devant les marches de l'hôtel de ville, une femme recroquevillée dans une attitude de pure terreur pressait ses poings sur ses yeux pour ne pas voir l'énorme tigre du Bengale prêt à bondir sur elle !

Mignus ne put s'empêcher de sourire. C'était assez drôle, au fond. Ces pauvres gens affrontant un péril sorti de l'imagination tordue de Basil n'étaient nullement en danger, puisqu'ils étaient en plastique, et que rien de tout ça n'était réel. Cela rendait même l'ensemble encore plus fascinant.

Y avait-il autre chose ? Oui ! Là ! Un petit chauve rondouillard trimbalant une lourde valise remontait la rue en direction de la forêt aussi vite que ses courtes jambes le lui permettaient. Une foule de gens lancés à sa poursuite brandissaient des pancartes et des banderoles. Mignus plissa les yeux pour déchiffrer les lettres minuscules :

À BAS LA CULTURE ! vitupérait l'une d'elles.

MORT AU COMMIS VOYAGEUR ! clamait une autre.

« De plus en plus bizarre », pensa Mignus.

Il avait examiné la ville, qu'en était-il de la forêt ? Y avait-il là-bas autre chose qu'une jeannette réfugiée dans un sapin et menacée par les ours ? Mais oui ! Dans une trouée d'arbres, un grand Noir était assis sur un tronc abattu. À ses pieds, une sacoche de toile, une tronçonneuse et un bidon à essence miniatures. Les épaules voûtées, la tête basse, il semblait profondément déprimé, et ne prêtait aucune attention à trois personnages qui s'approchaient de lui par-derrière. Les figurines représentaient visiblement des bûcherons, qui avançaient à pas de loup en brandissant une hache.

Mignus songea d'abord que ce serait amusant de secourir tous ces malheureux. Il pourrait remettre les ours au bord du lac, jeter le tigre du Bengale sous la table, délier les cordes qui entravaient la vieille femme. Et puis, non, ce serait idiot. Il prenait déjà un grand risque en venant jouer avec le circuit. S'il modifiait quoi que ce soit aux méticuleux agencements de Basil, celui-ci le remarquerait forcément, et Mignus passerait un très mauvais quart d'heure. Mieux valait ne toucher à rien. Ayant pris cette sage décision, il se faufila entre la table et le mur pour atteindre le boîtier de contrôle.

Ce boîtier en métal noir ne ressemblait pas à celui des circuits habituels de trains électriques. Les boutons, bien plus grands que des commutateurs ordinaires, étaient également en métal noir, et marqués de signes étranges. Mais, Mignus n'ayant jamais vu de boîtier de contrôle, il n'en fut pas étonné.

Il escalada le haut tabouret où Basil Tramblebone avait l'habitude de s'installer. Il arrivait tout juste à atteindre les boutons en se penchant. Il avait si souvent observé Basil qu'il savait lequel allumait l'ensemble du circuit, et avait repéré ceux qui contrôlaient les différentes sections du réseau. Il tourna donc le plus gros bouton, sur la gauche du boîtier, et un léger ronronnement annonça que le courant circulait. Jusque-là, tout allait bien. Maintenant, par quel train commencer ?

Le préféré de Mignus était un petit train de marchandises vert avec une haute cheminée, qui tirait deux wagons plats. Les wagons étaient chargés de minuscules rondins, et le parcours du convoi le conduisait jusqu'à une scierie miniature, où des scies circulaires miniatures débitaient des troncs miniatures en planches miniatures. Mignus aimait particulièrement ce petit train vert parce qu'il lui paraissait le plus amical. Les autres avaient tous quelque chose de menaçant, surtout le plus gros, dont la locomotive encrassée d'huile était munie à l'avant d'un chasse-pierres qui lui faisait une gueule de monstre ; celui-là tirait trois wagons poussiéreux.

Donc, ce serait le joli train vert.

Mignus tourna doucement le troisième bouton sur la gauche. À l'autre bout de la table, la petite locomotive à vapeur s'ébranla, tirant son chargement. Mignus tourna un peu plus le bouton, et le convoi prit de la vitesse. Dans quelques secondes, il suivrait une longue courbe et reviendrait en haletant vers Mignus, qui projetait de le stopper dans sa gare habituelle, devant la scierie, non loin de là où il était assis. Il tourna encore le bouton lorsque le train entama le virage, et le mouvement des pistons s'accéléra.

Si Mignus n'avait pas été aussi concentré, il aurait remarqué quelque chose qui l'aurait terrifié. Dans son dos, la grosse locomotive noire venait de quitter son lieu de stationnement. Elle s'était mise en mouvement sans bruit, et roula d'abord si lentement que Mignus ne s'aperçut de rien.

Le petit train de marchandises ferraillait maintenant sur une section de rails en ligne droite, juste au bord de la table. Mignus décida de le laisser rouler à pleine vitesse, et de ne l'arrêter devant la scierie qu'à la dernière seconde, comme il avait souvent vu Basil le faire. Il y avait une bonne longueur de rail à cet endroit, ce qui laissait du temps à Mignus.

Soudain, il repéra du coin de l'œil la locomotive à tête de monstre. Elle s'était engagée sur la voie principale, celle où circulait le petit train, vers lequel elle fonçait dans un grand bruit de pistons, crachant des nuages de fumée, ses roues huilées tournant à un tel rythme qu'elles en devenaient floues. Mignus retint un cri d'effroi.

Comment était-ce arrivé ? Il n'avait pas mis en marche la grosse locomotive, il ne l'aimait pas. Il n'aurait jamais fait une chose pareille ! Vite ! Quel bouton la contrôlait ? Le cinquième ? Ou était-ce le quatrième ?

Mignus tourna le cinquième bouton ; en vain. C'était même à se demander si les deux trains n'avaient pas accéléré. Mignus essaya le quatrième, et les locomotives bondirent en avant. Il manœuvra les deux boutons en même temps, et comme cela ne donnait aucun résultat, il s'acharna, tournant dans un sens, puis dans l'autre, si bien que les deux commandes lui restèrent dans les mains. Affolé, il tenta de les réenfoncer sur leur axe.

Impossible !

Il voulut alors tourner les axes eux-mêmes. Mais ses doigts glissaient sur la tige de métal huileuse et il n'avait aucune prise. En désespoir de cause, il voulut actionner le commutateur principal. Mais celui-ci refusait obstinément de bouger. Mignus l'agrippa à deux mains, il y mit toutes ses forces.

Rien à faire.

Pendant ce temps, les trains continuaient de foncer l'un vers l'autre. Mignus, impuissant, comprit que la collision était inévitable.

– Que ssse passse-t-il ici ?

De frayeur, Mignus faillit tomber de son siège. Il se retourna. Dans l'encadrement de la porte se tenait Basil Tramblebone. Les poings serrés, il fixait le garçon de son regard de poisson, et deux taches rouges marquaient ses joues couleur de craie.

– Qu'est-ce que tu as fait ?

Mignus tenta de dire un mot, n'importe lequel. Mais il n'avait plus de voix. La langue sèche, les mâchoires engourdies, il arrivait à peine à respirer. Il entendait derrière lui le halètement des trains qui se ruaient l'un vers l'autre, et restait tétanisé.

Soudain, le regard de Basil passa du garçon au circuit. Mignus vit les taches rouges disparaître des joues de son tuteur, tandis que son visage prenait une teinte cadavérique.

Basil fit alors une chose très étrange. Il ouvrit la bouche et prononça une phrase qui ressemblait à peu près à : « Sssplzzxcffft Gjriuvriok Ssskargranglio ! » Un sifflement de serpent mêlé à un raclement de gorge, à un grincement de dents et à un reniflement, le bruit le plus répugnant que Mignus ait jamais entendu. Et tandis que Basil émettait ces borborygmes à vous glacer le sang, une inquiétante flamme verte dansa au fond de ses yeux. Une seconde plus tard, deux puissants traits de lumière verte jaillirent de ses pupilles comme des rayons laser.

Ils manquèrent Mignus de peu ; ils frôlèrent son visage en chuintant, laissant derrière eux une vague odeur de caoutchouc brûlé. Épouvanté, Mignus se ratatina sur son siège, les paupières fermées, les mains plaquées sur les oreilles.

Il se tint ainsi un moment, sans voir ni entendre. Puis il se demanda pourquoi rien ne se passait. Tout était affreusement silencieux. Basil allait-il le frapper ? Et si oui, pourquoi ne l'avait-il pas déjà fait ?

Les secondes s'écoulaient sans qu'il se produise quoi que ce soit. Au bout du compte, la curiosité de Mignus fut la plus forte. Il ouvrit les yeux.

Alors il regretta de l'avoir fait.

Basil se tenait devant lui, tout près, et il souriait.

Mignus n'avait encore jamais vu Basil sourire. Et il aurait préféré ne jamais le voir. Car le sourire de Basil était effroyable. Habituellement, lorsque les gens sourient, leurs yeux se plissent et leur donnent un air amical. Les yeux de Basil ne se plissaient pas. Ils restaient ronds et froids comme des yeux de poisson. Seules ses lèvres pâles s'étiraient en découvrant une rangée de dents jaunes. Aux coins de sa bouche, certaines étaient plus longues et plus pointues que les autres, et, l'espace d'un instant, Mignus se demanda s'il n'était pas en face d'un vampire. Mais les vampires, à ce qu'il croyait savoir, n'avaient que deux canines pointues, tandis que Basil en possédait *trois* de chaque côté, ce qui le faisait plutôt ressembler à un alligator.

–Ainsssi, on aime jouer avec les trains ?

Mignus déglutit difficilement. Il n'avait jamais eu aussi peur de sa vie.

–Je suis dé… désolé, monsieur Tramblebone, bégaya-t-il.

–Désolé ?

–J'ai… j'ai essayé d'éviter la collision, mais…

–Quelle collision ? Il n'y a pas eu de collision, mon garçon. Constate par toi-même !

Mignus pivota sur le siège.

En effet, il n'y avait pas la moindre trace d'une quelconque catastrophe. Là où les trains *auraient dû* se heurter, formant – comme Mignus l'avait redouté – un amoncellement de ferrailles tordues, la voie était vide. Stupéfait, Mignus parcourut le circuit du regard, et constata que la grosse locomotive noire se trouvait à sa place habituelle, et que le petit train vert était retourné à son point de départ, à l'autre extrémité de la grande table. Le ronronnement du courant électrique s'était tu. Tout était en ordre, paisible et silencieux.

Basil se pencha pour susurrer à l'oreille de Mignus :

–Cependant, sssi je n'étais pas revenu à temps, il y *aurait eu* une collision. Un épouvantable accident ! Et sssais-tu pourquoi je sssuis revenu à temps, Mignusss ?

–N… non, monsieur !

–Eh bien, je vais te le dire ! Je sssuis revenu à temps parce que, à mi-chemin de la banque, je me sssuis rappelé qu'on était aujourd'hui *dimanche.* Et tu sssais ce que cela ssssignifie, Mignusss ?

–N… non, monsieur !

–Cela sssignifie que les banques sssont fermées, Mignusss ! La banque n'a donc pas pu appeler ce matin, comprends-tu, Mignusss ?

–Ou… oui, monsieur !

–Et cela sssignifie que tu as inventé cette hissstoire, n'est-ce pas, Mignusss ?

–Ou… oui, monsieur !

–Tu m'as menti. Et tu as trafiqué le téléphone.

–Je suis dé… désolé, monsieur Tramblebone.

Basil tapota l'épaule de Mignus, et le garçon sentit à travers le tissu usé de sa chemise le contact glacé de ses doigts.

–Bien sssûr, tu es désolé ! Et tu vas bientôt l'être encore plusss !

Des gouttes de sueur perlèrent au front de Mignus tandis qu'une affreuse sensation de froid envahissait son corps. Il inspira avec difficulté :

–Que… qu'allez-vous faire, monsieur ?

–Ce que je vais faire ? C'est jussstement la quessstion ! Eh bien, Mignusss, j'ai toujours pensssé qu'un crime mérite un châtiment. Le penssses-tu ausssi, Mignusss ?

–Je… je crois que oui, monsieur.

– Parfait ! Le châtiment pour avoir joué avec mon circuit de trains sssans ma permisssion, c'est que tu vas désormais jouer *dedans*, avec mon *entière* permisssion !

Qu'est-ce que ça voulait dire ?

–Jou… jouer a… avec vos trains, monsieur ? bafouilla Mignus.

– Non, mon garçon ! Fais un peu attention quand on te parle ! Je n'ai pas dit jouer *avec*, mais jouer *dans*. Pour le ressstant de tes jours ! Maintenant, ne bouge pas, ça ne fera pas mal !

Basil se pencha et souffla sur le visage de Mignus. Celui-ci grimaça comme s'il avait mordu dans un citron. L'haleine de Basil était atroce. Elle sentait le rat crevé, le matelas moisi et la vieille basket. Le garçon se recula pour tenter d'échapper à cette puanteur. Mais Basil continuait. Qu'une poitrine aussi étroite puisse produire autant de souffle, cela paraissait incroyable ! Mignus retint sa respiration, jusqu'au moment où il fut obligé d'inhaler une bouffée d'air, et l'épouvantable odeur lui emplit les narines.

Puis Basil se mit à grandir. Plus il soufflait, plus il grandissait. Sa tête avait maintenant la taille d'un autobus – non, c'était impossible ! Un autobus ne tiendrait pas dans le grenier ! Mignus détourna un instant les yeux du froid regard de poisson dardé sur lui.

Alors il comprit : ce n'était pas Basil qui grandissait. C'était lui, Mignus, qui *rapetissait* !

Il lui semblait ne plus être assis sur un tabouret, mais sur une table. Le sol s'était éloigné de ses pieds comme s'il s'était trouvé au bord d'une falaise ; et, s'il tombait d'une telle hauteur, il se tuerait à coup sûr. Un tremblement le parcourut. Il se recroquevilla aussi loin du vide que possible. Et Basil continuait de souffler, et ce souffle devint une tempête qui le renversa sur la surface de bois. Il tordit le cou pour écarter son visage de ce vent puant, et vit que le rebord du siège était maintenant loin, très loin de lui.

Soudain, la tempête cessa, et Mignus écarquilla les yeux, horrifié : l'être qui se tenait devant lui avait la taille d'une montagne, d'un haut pic noir à tête blanche – le visage blanc de Basil Tramblebone –, tel l'Everest couronné de neige.

–Eh bien ! gronda Basil d'une voix venue d'on ne savait où. As-tu sssuffisamment rapetisssé, Mignusss ? Il me sssemble que oui ! J'aurais pu faire cela depuis longtemps, mais nous devions conssserver les apparences, n'est-ce pas ? Maintenant, ce n'est plus nécesssaire. Il y a deux sssemaines, vois-tu, notre banque a engagé un nouveau directeur. Et ce nouveau directeur, M. Griswold Gristle, est l'un des nôtres, je dirais même mon sssemblable. Un ami très proche, sssi tu vois ce que je veux dire. Nous avons eu la sssemaine dernière une délicieuse conversssation, et nous sssommes tombés d'accord, M. Gristle et moi : tu es beaucoup trop jeune pour possséder une pareille sssomme. Ainsssi tout ce bel argent est-il désormais entièrement sssous mon contrôle, cher enfant ! Il est à moi, à moi, à moi ! Tu ne m'es donc plus d'aucune utilité.

Mignus eut envie de pleurer, mais il ne le fit pas. Il en avait fini avec les pleurs. Il avait tant et tant versé de larmes quand il était petit ! Et qu'est-ce que ça avait changé ? Rien ! Un jour, il avait tout bonnement cessé, et n'avait plus jamais pleuré depuis. Il se contenta de rester immobile, attendant la suite des événements.

–Ne bouge pas, Mignusss ! ordonna Basil. Ne tente même pas de remuer un cil !

Mignus trouva la recommandation parfaitement superflue. Où aurait-il bien pu aller, coincé qu'il était sur une immense surface de bois, entourée de tous côtés par un précipice sans fond ?

Il regarda Basil s'éloigner vers le fond du grenier, puis revenir se pencher au-dessus de lui. Dans sa main aussi grosse qu'une maison, il tenait un long objet en métal argenté. La main s'approcha de Mignus, et celui-ci reconnut la pince à épiler que Basil utilisait pour les tâches les plus délicates : planter un nouvel arbre dans le décor, replacer les morceaux de charbon sur le tas.

Aux yeux de Mignus, l'instrument était maintenant gigantesque, et ses deux branches aussi longues qu'un aviron s'approchaient inexorablement de lui.

– Sssurtout ne bouge pas, Mignusss ! gronda Basil. Ça ne fera pas mal sssi tu ne bouges pas.

Mignus ne bougea pas.

Il avait appris à ne jamais discuter les ordres de Basil. Basil disait toujours la vérité, c'était son unique qualité. Bien sûr, la vérité selon Basil n'était guère plaisante, mais c'était la vérité. Tout ce que disait Basil était déplaisant et vrai. Si Basil annonçait que le nuage suspendu en permanence au-dessus de la maison allait lâcher une pluie de grenouilles venimeuses, on pouvait être sûr qu'avant le soir les gouttières et les canalisations grouilleraient de ces dangereux batraciens.

Donc, puisque Basil le disait, ça ne ferait pas mal.

Ça ne fit pas mal, mais ce fut en effet extrêmement déplaisant.

Mignus vit les extrémités de la pince s'avancer vers son col et se refermer sur le tissu. Il se sentit soulevé dans les airs. Le siège du tabouret s'éloigna, et le sol du grenier plus encore. Il se laissa faire. Il savait que, s'il se débattait, le tissu usé craquerait. Il tomberait alors d'une telle hauteur qu'il était assuré de se tuer. Il resta aussi inerte qu'un pantin, les yeux grands ouverts, priant pour que le col de sa chemise tienne bon.

Basil fit pivoter son énorme bras, et Mignus vit l'immense décor défiler loin au-dessous de lui : la forêt, les chalets en rondins, les voies de chemin de fer, les tristes gares grises avec leurs tristes quais gris, et enfin le tas de charbon.

Puis Mignus se sentit descendre. Le sol sembla bondir vers lui, et il ferma les yeux, s'attendant à un choc douloureux. Mais, au dernier moment, sa chute se ralentit. Il rouvrit les yeux juste à temps pour comprendre qu'il allait atterrir au beau milieu du tas de charbon. La pince le déposa doucement au sommet du monticule et s'ouvrit, libérant son col.

La voix de Basil résonna comme un lointain coup de tonnerre :

– Tu as toujours été sssale. Tu le ssseras un peu plusss !

–Pourquoi vous faites ça ? protesta Mignus.

–Qu'est-ce que c'est ? Un couinement de sssouris ? Parle plus fort, Mignusss, je ne t'entends pas !

Mignus se redressa en dérapant dans le charbon et leva les yeux vers la noire montagne que formait la silhouette de Basil.

–Écoutez-moi ! lança-t-il à pleine voix. Je suis désolé d'avoir joué avec vos trains. Je vous promets de ne jamais recommencer !

–Ah, voilà qui est mieux !

Basil pencha son énorme tête jusqu'à ce que sa face blafarde emplisse tout l'espace :

–Tu ne joueras plus avec mes trains ? Plus jamais ? Mais, mon cher enfant, tu es le bienvenu, ici ! Joue ! Joue ausssi longtemps que tu en auras envie ! Joue encore et pour toujours ! Il y a tant à faire, tant à voir ! Des forêts à explorer, des maisons où habiter, des gens avec qui parler ! Bien sssûr, je crains qu'ils ne puisssent te répondre. Ils ne peuvent pas, ils sssont en plassstique ! Au moins, ils ne te couperont pas la parole quand tu leur conteras l'hissstoire de ta vie ! C'est sssi agaçant, d'être interrompu au milieu d'un récit, tu ne trouves pas ?

« Il est fou », pensa Mignus.

Il le pensa même si fort qu'il leva la tête et qu'il le cria :

–Vous êtes fou !

Basil lui adressa son terrible sourire qui dévoilait six dents jaunes et pointues :

–Évidemment, je le sssuis ! Que c'est aimable à toi de le dire ! Après un sssi gentil compliment, je sssuis presssque tenté de te libérer. Mais non. Sssi je le faisais, je ne ssserais pas fou. Rien de plus divertisssant que d'être fou ! Amuse-toi bien, mon jeune ami ! Je vais te laissser, maintenant. Mais je reviendrai bientôt, pour voir comment tu te débrouilles.

Basil fit mine de partir, puis il se ravisa :

–Encore une chose, Mignusss ! Ne t'inquiète pas pour ta nourriture. Tu ne mourras pas de faim. En cherchant bien, tu trouveras toujours de quoi manger, des choses délicieuses, tu verras. Allez, au revoir !

Il marcha rapidement vers la porte du grenier, créant un déplacement d'air qui balaya l'espace comme un coup de vent. Mignus entendit la porte s'ouvrir, puis se refermer. Un profond silence emplit la pièce, et Mignus se sentit plus seul qu'il ne l'avait jamais été. Il s'apprêtait à descendre de son tas de charbon quand la porte s'ouvrit de nouveau, et la voix de Basil susurra :

–Jussste une dernière petite chose ! Sssurtout, ressste bien à l'abri, la nuit. Les heures nocturnes, les longues heures nocturnes, sssont pleines de dangers pour une minussscule créature comme toi, Mignusss ! Une créature pas plus grande qu'un insssecte ! Cache-toi, la nuit, Mignusss ! Cache-toi bien ! Cache-toi de la chose qui vit dans les poutres !

Il y eut encore un sifflement sinistre, et Mignus se demanda ce que ça pouvait être. Puis il comprit que c'était un rire. Le rire de Basil.

La porte du grenier se referma, et le silence retomba.

3. L'antidote

Mignus resta un long moment immobile au sommet du tas de charbon, osant à peine respirer. Car les dernières paroles de Basil avaient confirmé ses pires craintes : il y avait bien quelque chose dans les poutres du grenier. Quelque chose de mauvais qu'il devait éviter à tout prix.

Quelque chose...

Finalement, son cerveau paralysé se remit à fonctionner. Basil avait parlé d'un danger qui surviendrait pendant les heures nocturnes, autrement dit à la nuit tombée. Comme Basil ne mentait jamais, cela signifiait que Mignus était en sécurité pour le moment. La lumière du jour éclairait encore le grenier. Mignus pouvait distinguer, à l'extrémité de la pièce, la vitre brisée de la lointaine lucarne. Même si le soleil ne brillait pas dehors (car il ne brillait jamais au-dessus de la sinistre demeure), il était certainement là, caché derrière le nuage noir, déversant sur le monde extérieur assez de clarté pour prouver son existence.

Mignus n'ayant pas de montre, il n'avait aucune idée de l'heure. Il estima qu'on était au milieu de l'après-midi. Il n'avait donc rien à craindre de ce *quelque chose* pour les trois ou quatre heures à venir. Il jeta un coup d'œil vers le plafond, juste pour vérifier si aucune horreur innommable n'était sur le point de fondre sur lui, griffes, bec, crocs, tentacules ou quoi que ce soit d'autre tendu pour le saisir. Mais c'était comme lever les yeux vers un ciel tourmenté. Mignus était maintenant si petit que les poutres se perdaient dans les hauteurs. Il scruta l'obscurité. Non, il n'y avait rien là-haut, du moins rien qu'il puisse distinguer. Pas complètement rassuré, assez toutefois pour quitter le monticule de charbon, il se laissa glisser le long de la pente et reprit pied sur le sol.

En dépit de sa peur, Mignus ne pouvait s'empêcher d'admirer le réalisme du décor. La palissade entourant la cour, faite de planches raboteuses où l'on voyait les nœuds du bois, était noircie par une fine couche de poussière de charbon. L'endroit était sale et déprimant à souhait. Mignus en conclut qu'il serait mieux n'importe où ailleurs. Il se faufila donc par une brèche de la barrière et se retrouva au beau milieu de la gare de triage.

Deux locomotives crasseuses y stationnaient l'une à côté de l'autre. Aucun wagon n'était accroché à la première.

Trois containers vides étaient fixés au tender de la seconde. Mignus ne leur accorda qu'un bref regard, il les connaissait. Il se dirigea vers la ville, de l'autre côté de la gare de triage, trébuchant sur le sol bosselé, couvert de toutes sortes de rebuts, ferrailles tordues, caisses en bois pourries, pièces de locomotives rouillées.

Il atteignit enfin un bâtiment de briques, long et bas, avec un toit d'ardoises. Il faisait si vrai que Mignus s'arrêta un instant pour l'observer. Les briques usées, les ardoises tombées ici et là, les vitres des fenêtres fendues ou brisées, tout cela produisait une affreuse impression d'abandon et de délabrement.

Mignus s'approcha.

Une porte bâillait, à demi sortie de ses gonds. Il passa prudemment la tête. Le bâtiment était vide. Ni meubles, ni cadres au mur, ni détritus sur le sol, rien. Rien que des murs de briques et un plancher de bois nu, en assez bon état. Mignus remarqua qu'il était en contreplaqué, comme la grande table supportant le circuit. Il savait de quoi elle était faite car, un jour qu'il était au grenier avec Basil, la vibration causée par le passage d'un train avait fait tomber un sapin de la table. Basil avait ordonné à Mignus de le ramasser. En se baissant, Mignus avait constaté que le plateau était constitué d'un épais contreplaqué posé sur huit rangées de tréteaux de bois.

Mignus réalisa alors quelque chose : Basil ne soignait que ce qui se voyait. Le circuit miniature était parfait jusque dans les moindres détails. Mais ce qui n'était pas immédiatement visible ne l'intéressait pas. Mignus enregistra l'information dans un coin de sa mémoire et traversa le bâtiment désert pour atteindre une porte donnant de l'autre côté. Il l'ouvrit et se retrouva, comme il s'y attendait, dans une rue bordée de petites maisons noires de suie.

Au bout de la rue, qui longeait le bord de la grande table, se tenait un couple de figurines en plastique.

La première représentait l'homme en bleu de travail, coiffé d'un casque jaune, à genoux au bord d'une excavation, et tenant dans ses mains un faisceau de câbles électriques ; la seconde, derrière lui, était l'homme au seau d'eau, Mignus s'en souvenait. Il remonta la rue d'un pas vif, désireux d'aller y regarder de plus près.

Les deux figurines étaient fort différentes. L'homme au seau était grossièrement peint, et ses deux moitiés avaient été assemblées de telle sorte que la jointure parcourant son visage et son buste était nettement visible. Rien à voir avec l'homme au casque jaune ! Lui aussi était en plastique, mais ses vêtements, son visage ridé, ses cheveux gris dépassant du casque, tout était criant de vérité. On ne voyait aucune trace d'assemblage. Peut-être Basil l'avait-il fabriqué lui-même, au lieu de l'acheter sur catalogue. Si tel était le cas, c'était vraiment du beau travail. Il y avait même une boîte à outils en métal cabossé posée à côté du personnage, détail que Mignus n'avait pas remarqué auparavant.

Un peu plus loin, près du bord de la table, Mignus aperçut une traînée de petits objets jaunes ainsi qu'une flaque de liquide rose, et il se demanda ce que ça pouvait être. Puis il comprit : des miettes de beignets et un peu de limonade, restes du dernier festin de Basil !

La faim gronda dans son ventre. Son maigre déjeuner était loin, et il rêvait depuis si longtemps de goûter aux pâtisseries de Basil Tramblebone, d'avaler une gorgée de sa boisson pétillante !

Mesurer deux centimètres de haut avait au moins un avantage : quand il avait sa taille normale, ces restes n'auraient représenté que quelques miettes et une malheureuse goutte. Maintenant, c'était un repas délicieux qui le nourrirait plusieurs jours. Voilà donc ce que Basil voulait dire en lui assurant qu'il aurait de quoi boire et manger, à condition de chercher – et de trouver.

Eh bien, il avait trouvé ! Mignus dépassa les figurines, courut jusqu'aux miettes, saisit la plus proche et la renifla. C'était bien un morceau de beignet. Il ouvrit la bouche.

–Nnnnnnn… !

Un son étouffé avait résonné dans son dos. Mignus se retourna.

Mis à part les deux figurines, la rue était vide. Mignus secoua la tête. Son imagination lui jouait des tours. Il ouvrit de nouveau la bouche.

–Nnnnnn... nep... !

Cette fois, il n'avait pas rêvé. Le bruit venait de tout près, de là où se tenaient les personnages de plastique. L'un d'eux tentait-il de lui dire quelque chose ? Pour vérifier cette hypothèse improbable, Mignus les fixa des yeux, tout en portant lentement le morceau de beignet à sa bouche.

–Nnnnnn... ! Nne ppppppp... !

C'était l'homme au casque jaune. Ses lèvres avaient remué ; du moins, le coin de sa lèvre. Il avait entrouvert la bouche, juste assez pour laisser passer le son. Il n'y avait aucun doute là-dessus, la figurine tentait de dire quelque chose ! Mignus s'approcha avec circonspection. Tout cela était plus qu'étrange, et, pour la deuxième fois de la journée, il eut peur.

– Que... qu'avez-vous dit ? bégaya-t-il.

L'homme remua encore le coin de sa bouche :

– Nnnnnnnnne pppppp mmmmmm ! Nnnnnnne ppppppp bbbbbb !

– Quoi ?

– Nnnnne pppp mmmmger bbbbbgnet ! Nnnnnnne pppppp bbbbbb mnade !

Mignus fronça les sourcils. L'homme essayait-il de dire « Ne pas manger de beignet, ne pas boire de limonade » ?

– Je ne dois pas manger ça ? demanda le garçon en montrant le morceau de beignet.

– Nnnnnn ! Nnnnn pppp m'ger ! Nnnnn ppppp oir ! Amais, amais !

– Pourquoi ?

– Tttttu fnirrrr commm'oi !

Mignus eut besoin d'un instant de réflexion pour saisir :

– Vous voulez dire que je vais finir comme vous ?

– Ui.

Mignus fixait la figurine, ébahi. C'était étrange de s'entendre donner des ordres par un bonhomme de plastique ! C'était même si étrange que Mignus en oublia sa peur et fit deux pas en avant. Malgré son réalisme, le personnage était en plastique (ou, du moins, un matériau qui y ressemblait). Son visage était lisse et luisant, son regard fixe et sans expression. Seul le coin de la bouche avait quelque chose de différent, quelque chose d'humain, de vivant…

–Vous êtes une figurine de plastique, non ? Comment pouvez-vous parler ?

–Jsst'un ppppp.

–Vous voulez dire que… vous êtes vivant ?

–Pluprrrr l'temps. Bbto tou plstic…

–Vous serez bientôt tout en plastique ?

–Ui.

–Mais… comment ? Pourquoi ?

–Bgnet, lmade… pson.

–Les beignets et la limonade sont… du poison ?

–Ui. Vvvvv trsform enplstic.

Le garçon regarda autour de lui :

–Mais… il n'y a rien d'autre à manger, ici ! Je vais mourir de faim !

–Mieux que d'v'nir plstic !

Mignus sentit tout espoir l'abandonner. Il tiendrait probablement le coup quelques jours. Ensuite, il serait si faible qu'il n'aurait plus la force de marcher, encore moins de chercher des vivres – qui n'existaient même pas. Il se laissa tomber sur les genoux, et quelque chose de dur le gêna. Il fourra la main dans sa poche, et ses doigts touchèrent du papier.

Le sac de carottes qu'il avait pris le matin au fond du réfrigérateur ! Il le sortit et compta les tubercules : douze vieilles choses ratatinées, encore couvertes de terre. En étant vigilant, il les ferait bien durer six jours. Et après ?

Il prit la plus propre.

–Cccc oi ?

–Une carotte.

–*Awot ?*

Il y avait de la stupeur et une note d'excitation dans la voix du personnage, comme s'il n'était pas sûr de ce qu'il avait entendu, ou comme s'il n'arrivait pas à y croire. Mignus proposa :

–Vous en voulez ?

Il y eut un silence. Puis l'homme reprit sur un ton de profonde tristesse :

–Nnnnn ppppp pas la m'cher.

–Vous ne pourrez pas la mâcher ?

–Nnnnnn.

–Si je vous en coupais un tout petit morceau, vous pourriez l'avaler ?

Il y eut encore un silence, suivi d'un léger bruit de déglutition.

–E peu ! fit l'homme d'une voix soudain joyeuse.

–Parfait ! Sauf que... je n'ai pas de couteau.

–Rgde ddd mbtttouttti.

Regarde dans ma boîte à outils.

Mignus s'accroupit et ouvrit la caisse métallique. Dedans, il y avait un plateau à plusieurs compartiments contenant des prises électriques, des vis, des agrafes, des clous, mais rien pour couper.

–D'sous, dit l'homme.

Mignus souleva le plateau et découvrit un fouillis de marteaux, pinces, tournevis et, tout au fond, un canif à manche de corne et à lame incurvée, le genre de canif dont Mignus avait toujours rêvé et que Basil ne lui aurait jamais permis de posséder. Les seuls biens de Mignus, c'étaient ses vieux habits usés. Il regarda le canif un moment, un large sourire éclairant son visage.

–T'l'veux ? demanda l'homme.

Mignus rougit et secoua la tête :

–Il est à vous !

–Atoi, m'tnant !

Mignus devint écarlate. Depuis qu'il vivait avec Basil, personne ne lui avait fait de cadeau. Il avait même oublié la date de son anniversaire. À quoi bon s'en souvenir ? De toute façon, Basil ne le lui aurait pas souhaité. Quant à Noël, ce n'était pas la peine d'y songer.

– Merci !

– Pppp d'q oi !

Mignus nettoya avec sa manche une petite surface de trottoir. Il y déposa la carotte, ouvrit le canif et se mit à la découper en très fines rondelles.

– Depuis quand n'avez-vous rien mangé ? demanda-t-il.

– Sais pppp. P'têt' six ans, b'gnet et l'm'nade.

– Six ans ! Vous devez mourir de faim !

– En plstic, ppp faim.

Mignus prit une lamelle de carotte et la glissa entre les lèvres de l'homme.

– Hmmm ! souffla celui-ci. M'lleur qu'b'gnet !

Mignus continua de lui donner la becquée jusqu'à ce que toute la carotte soit finie.

– M'ci !

Il se passa alors une chose tout à fait incroyable. L'homme entrouvrit le coin de sa bouche, puis sa bouche tout entière. Peu à peu, son visage perdait son apparence de plastique et redevenait un visage humain ! Enfin, il prononça distinctement :

– Merci ! Merci beaucoup, Mignus !

Ses sourcils s'arquèrent de surprise au son de sa propre voix. Mignus était encore plus étonné que lui :

–Vous parlez bien, maintenant !

–On dirait que oui ! dit l'homme.

Il claqua des mâchoires, tira la langue, fit un tas de grimaces.

–Fantastique ! s'écria-t-il. Qui l'aurait cru ? Ça doit être l'effet de la carotte !

–La carotte ?

–Quoi d'autre, à ton avis ?

L'homme lâcha les câbles électriques, leva le bras et toucha son visage.

–Vous pouvez bouger ! s'écria Mignus.

L'homme fixa sa main, remua les doigts, leva l'autre main et se gratta l'oreille.

–Je rêve de faire ça depuis six ans ! Voyons si je peux marcher !

Il se redressa lentement, leva un pied, avança d'un pas, tituba, se raccrocha à Mignus.

–J'ai encore les jambes en coton, mais ça va s'arranger.

Mignus le contemplait, stupéfait. Debout près de lui, appuyé à son épaule, se tenait un véritable être humain, qui ne ressemblait plus du tout à une figurine !

–Je n'arrive pas à croire que ce soit grâce à la carotte, dit-il. Ça n'a pas de sens !

L'homme le regarda en souriant :

–Parce que des beignets et de la limonade qui te

transforment en personnage de plastique, tu trouves que ça a du sens ? Et regarde-nous ! Nous mesurons deux centimètres de haut et nous sommes prisonniers d'une table où circule un chemin de fer en modèle réduit. Si tu trouves que ça a du sens, Mignus, tu es un garçon bizarre !

–Je le suis sûrement, soupira Mignus. Enfin, un peu…

–Non, non, tu n'es pas bizarre du tout, le rassura l'homme en lui tapotant l'épaule. Un héros, voilà ce que tu es ! Ne m'as-tu pas rendu la vie ?

–Comment connaissez-vous mon nom ?

L'homme le dévisagea, l'air sombre :

–Ah, c'était le plus cruel ! Être en plastique ne m'empêchait pas de voir et d'entendre. Je te regardais nous regarder ! Je ne pouvais pas bouger, et à peine parler. Mais j'étais au courant de tout. Et j'entendais Basil Tramblebone : « Pose ci, Mignus ! Ramasse ça, Mignus ! Reste tranquille, Mignus ! » Je vais te confier quelque chose, jeune Mignus : Basil n'est peut-être pas humain.

–Je suis tout à fait sûr qu'il ne l'est pas !

–Et que crois-tu qu'il soit ?

–Je ne sais pas, dit Mignus. Et je préfère ne pas le savoir.

L'homme hocha la tête, pensif. Puis il inspira profondément et dit :

–Allons en ville. La carotte fera peut-être effet sur d'autres. Tu connais le chemin ?

Mignus acquiesça.

Tous deux se mirent en route, remontant la rue vers un croisement. Mignus se souvenait qu'en prenant à droite ils arriveraient au centre-ville. En chemin, il demanda son nom à son compagnon.

–Je m'appelle Frank, dit l'homme. Frank Hunter.

–Comment êtes-vous arrivé ici ?

–De la même façon que toi. C'est le sort que Basil Tramblebone réserve à quiconque provoque sa colère. Je suis électricien, vois-tu. C'est moi qui ai installé les lignes qui alimentent le circuit. Il était entièrement construit et prêt à fonctionner, il n'y manquait plus que le courant électrique. Quand j'ai eu terminé, M. Tramblebone semblait satisfait de mon travail. Je lui ai tendu la facture. Là, il n'était plus content du tout ! Il a carrément refusé de payer. J'ai protesté, la discussion s'est envenimée. Après quoi, tout ce que je sais, c'est que je me suis retrouvé au milieu de ce décor, pas plus haut qu'une figurine. Je me suis nourri de miettes de beignets, j'ai bu de la limonade. Et je suis devenu de plus en plus raide, jusqu'à ne plus pouvoir bouger du tout. Il y a quelque chose de toxique dans les beignets et la limonade de Basil, c'est évident.

–Mais pourquoi teniez-vous ces fils électriques dans les mains ? Et qui est l'homme au seau d'eau ?

–Je n'en ai pas la moindre idée, répondit Frank en secouant la tête. Basil aime le changement, et quand tu es incapable de bouger, il fait ce qu'il veut de toi. Il y a quelques semaines, j'étais en haut d'un poteau électrique. Avant ça, il m'avait installé dans la position d'un ouvrier posant l'ampoule d'un réverbère. Et, dernièrement, il a tout réaménagé. C'est à ce moment qu'il m'a mis sous la menace de l'homme au seau. Je n'étais pas réellement en danger, bien sûr. Néanmoins, c'était assez inquiétant de sentir ce personnage dans mon dos

Mignus s'arrêta si soudainement que Frank avança encore de quelques pas avant de se rendre compte que le garçon n'était plus à son côté. S'arrêtant à son tour, il se retourna pour demander :

–Qu'est-ce qui t'arrive ?

–Je sais à qui nous devons venir en aide !

–Vraiment ? À qui ?

–Aux personnes que Basil a mises en situation dangereuse, enfin, *qui a l'air* d'être dangereuse, comme la vôtre. Il y en a une sur la place de l'hôtel de ville, deux dans la forêt, une autre devant l'une des gares…

Frank sourit :

–Alors, ne perdons pas de temps, allons-y tout de suite ! Commençons par la place de l'hôtel de ville, c'est tout près d'ici !

Il se dirigèrent rapidement vers le centre-ville en passant par le jardin public. De la toile émeri peinte y figurait une pelouse miteuse, plantée de quelques malheureux arbres en papier mâché. Au milieu, il y avait une statue sur un socle de pierre.

La sculpture représentait un couple. La femme, agenouillée, cachait son visage dans son bras comme pour échapper à une vision insupportable. L'homme, dressé à son côté de toute sa hauteur, tendait la main droite, paume relevée, l'air de vouloir arrêter on ne savait quoi d'effrayant qui approchait. Quelques lignes étaient gravées dans le socle. Mignus avait souvent essayé de les déchiffrer quand il regardait Basil jouer avec ses trains, mais les lettres étaient trop petites, et la statue trop éloignée de l'endroit où il se tenait. Maintenant, grâce à sa nouvelle taille, il pouvait lire aisément :

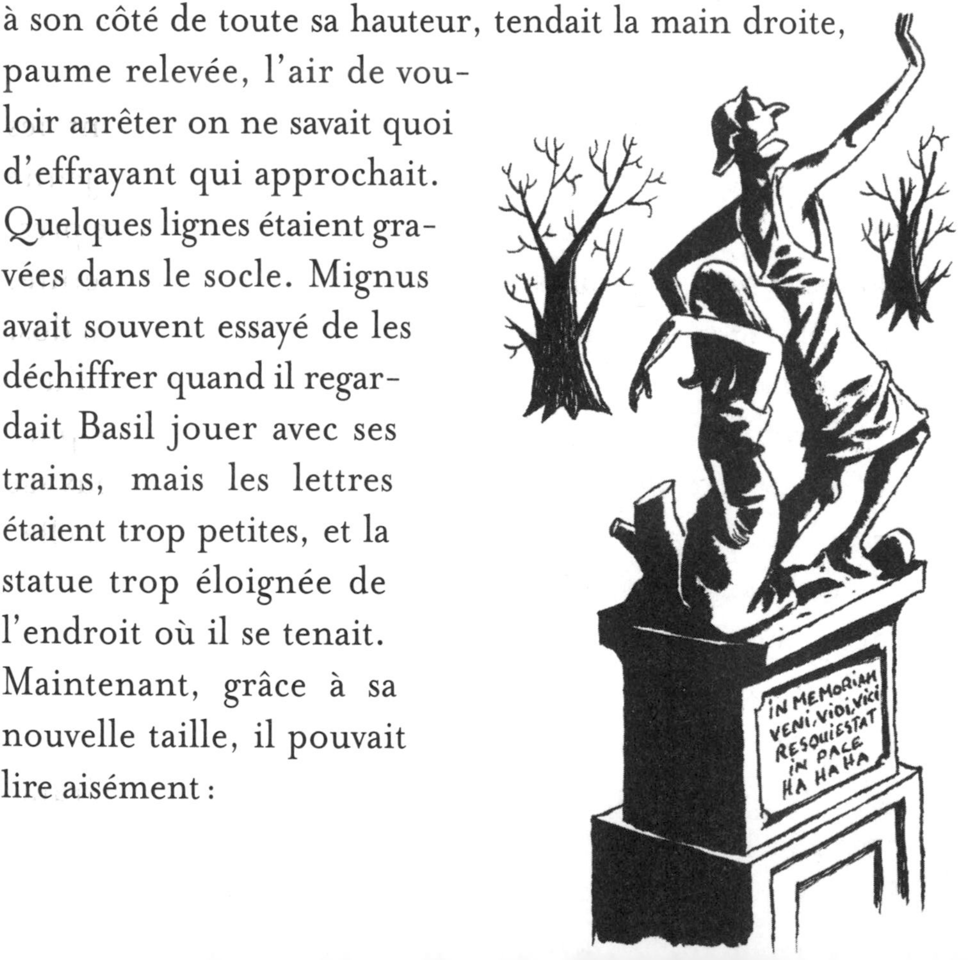

– Qu'est-ce que ça veut dire ? demanda-t-il.

– Eh bien, répondit lentement Frank, ça m'a l'air d'être du latin. La première ligne signifie : « En mémoire. » Je ne comprends pas la deuxième. La suivante dit : « Qu'il repose en paix. »

– Et le « Ha ha ha » ?

Une expression de colère assombrit le visage de Frank :

– Le rire de Basil, je suppose. Viens, allons secourir cette nouvelle victimc.

Ils marchèrent vers l'hôtel de ville. Là, devant les marches, le tigre du Bengale menaçait toujours la jeune femme accroupie, la tête enfouie dans ses bras. Vu de près, l'animal n'était qu'une figurine grossièrement peinte, avec une ligne d'assemblage apparente tout le long du dos. La femme, elle, paraissait vraie. Élégamment vêtue d'une jupe et d'une veste grise sur un chemisier blanc, elle portait des chaussures noires à talons hauts, et un luxueux sac de cuir était posé à ses pieds. Frank s'agenouilla devant elle :

– Mademoiselle ? Pouvez-vous parler ?

Un mince filet de voix répondit distinctement :

– Oui. Et je suis une dame.

– Bien sûr, madame, approuva gentiment Frank.

– Vous ne comprenez pas ! Mon nom est Lady Grant. Lady Mary Grant.

–Oh ! fit Frank.

Avec un clin d'œil à Mignus, il ajouta :

–Veuillez m'excuser, Lady Grant !

–Aidez-moi, je vous en supplie ! reprit la femme. Je suis dans cette affreuse position depuis si longtemps ! Je ne peux plus bouger ! Oh, qui que vous soyez, faites quelque chose !

Frank se tourna vers Mignus :

–Peux-tu couper une autre carotte, s'il te plaît ? Ou plutôt, non, juste un petit morceau. Ça devrait suffire. Cette dame semble être en meilleur état que je ne l'étais, et il faut économiser nos provisions.

Mignus sortit du sac la plus petite carotte, il ouvrit le canif et découpa une très fine rondelle.

Il la tendit à Frank, et celui-ci l'introduisit délicatement dans la bouche de la dame.

–Pouvez-vous mâcher ? demanda-t-il.

–Je crois. Qu'est-ce que c'est ? J'espère que vous avez les mains propres ! Oh, c'est de la carotte ! Pourquoi me donnez-vous de la carotte ?

–Vous allez voir, dit Frank.

Il y eut un petit bruit de mastication, et la femme reprit :

–Il y a de la terre ! Et je n'aime guère la carotte crue !

Puis elle se tut, car elle commençait à relever la tête. Un instant plus tard, elle était debout.

–C'est extraordinaire ! s'exclama-t-elle avec un grand sourire. C'est merveilleux ! Je ne saurai jamais assez vous remercier !

Elle dévisagea Frank avec étonnement :

–Mais… je vous reconnais ! Vous étiez du côté de la gare de triage, non ? Je vous ai vu là-bas, quand je pouvais encore marcher.

–Je m'appelle Frank, Lady Grant. Frank Hunter.

Il prit Mignus par l'épaule et le poussa gentiment en avant :

–Et voici celui qui vous a sauvée !

Les yeux de Lady Grant s'agrandirent d'horreur :

–Bonté divine ! Vous êtes le jeune géant ! Le complice de Tramblebone, cette immonde créature !

–Non, non, Lady Grant ! intervint Frank. Il n'est pas son complice, et il n'est plus un géant, comme vous pouvez le constater. Il a été victime des sortilèges de Tramblebone, tout comme nous. Et il vient de vous sauver. Je vous présente Mignus.

– Minus ? s'écria Lady Grant. Quelle malchance de se prénommer ainsi ! Donc, vous n'êtes pas ami avec Tramblebone ?

– Je le déteste, répondit Mignus entre ses dents. Et je m'appelle Mignus.

Lady Grant frappa joyeusement des mains :

– Magnifique ! Je sais que c'est mal de détester quelqu'un, mais on peut faire une exception pour Basil Tramblebone. Eh bien, Mignus – quel drôle de nom, vraiment ! – je ne pourrai jamais assez te remercier !

Mignus rougit de confusion. Lui à qui on n'avait jamais accordé le moindre merci depuis tant d'années, il en recevait deux en quelques minutes ! Décontenancé, il ouvrit la bouche pour dire quelque chose, mais Lady Grant leva la main :

– Non, non, ne proteste pas ! Je chercherai le moyen de m'acquitter de ma dette envers toi lorsque nous serons tirés de cette scandaleuse situation.

Elle le regarda plus attentivement, renifla en plissant le nez :

– Bien ! Un passage par la salle de bains s'impose ! Ensuite, mon petit, nous nous occuperons de *ça.*

– De quoi ?

– De tes cheveux, mon cher enfant ! Je n'ai jamais rien vu de pareil ! On les dirait coupés avec un couteau de cuisine !

– Comment le savez-vous ? s'étonna Mignus.

Lady Grant en battit des paupières d'étonnement :

– Tu veux dire… que c'est le cas ? Dieu du ciel ! Enfin, mon coiffeur personnel s'en arrangera.

Frank demanda alors :

– Et vous, Lady Grant, que vous est-il arrivé ?

– Je suis conseillère municipale, voyez-vous. Enfin, je l'étais. L'hôtel de ville a envoyé plusieurs lettres à M. Tramblebone concernant l'entretien de son domicile, mais il n'y a jamais répondu. Aussi me suis-je dérangée personnellement pour lui signaler que sa maison était dans un état de délabrement avancé, et qu'il était urgent d'entreprendre des travaux. Sans parler de ses canalisations déversant des débris verdâtres et répugnants qui bouchaient les égouts.

Mignus hocha la tête :

– Ça vient de la baignoire.

Lady Grant le fixa un instant d'un air incrédule avant de reprendre :

– Bref, je l'ai mis en demeure d'effectuer un certain nombre de réparations dans les six mois, sous peine de sanctions. Il s'est contenté de me regarder avec ses affreux yeux de poisson, puis il a commencé à souffler sur moi. Son haleine était une véritable infection ! Et voilà ! Je me suis retrouvée, réduite à cette taille ridicule, errant dans cette ridicule petite ville factice !

– Qu'est-ce que je te disais, Mignus ? dit Frank. Quiconque ose contrarier Basil Tramblebone le paie, et le paie cher !

– C'est un être immonde, voilà tout ! conclut Lady Grant.

4. Les victimes

Il fallut une heure et demie à Frank, Mignus et Lady Grant pour ramener les quatre autres personnes à la vie.

La première se trouvait dans la rue menant à la forêt. Mignus conduisit ses compagnons jusqu'à l'endroit où le petit chauve rondouillard était talonné par une foule en colère. Ignorant les poursuivants de plastique avec leurs pancartes, ils firent avaler à l'homme quelques lamelles de carotte. Celui-ci laissa bientôt tomber sa grosse valise et s'assit lourdement sur la chaussée, s'essuyant le front avec sa manche.

–Pfffff! souffla-t-il. Vous êtes arrivés à temps, ils allaient m'avoir!

–Ils ne risquaient pas de vous attraper, dit Mignus. Ils sont en plastique, vous voyez bien!

Le petit homme le regarda et lui sourit.

Levant un doigt, il se tapota le bout du nez d'un air entendu:

–Je sais, mon garçon ! Je blaguais. Je suis un grand blagueur, figure-toi !

Il se remit debout en respirant bruyamment :

–Grand merci, la compagnie ! Mon nom est Durham. William O. Durham. Ne me demandez pas ce que signifie le O, il ne sert à rien. O, zéro, comme vous préférez. Rigolo, non ?

–Je ne trouve pas, fit Lady Grant avec hauteur.

William était un représentant de commerce qui avait voulu vendre à Basil Tramblebone, un an et demi plus tôt, une encyclopédie fort coûteuse. Il lui faisait l'article sur le seuil de la maison, quand Basil avait tenté de refermer la porte. William l'avait bloquée avec le pied. L'instant d'après, la main osseuse de Basil l'agrippait par sa chemise et le tirait à l'intérieur.

–Non mais, quel sale type ! commenta William. Pire que mon patron, ce qui n'est pas peu dire ! Et mon boss, au moins, ne pue pas de la bouche ! Oh, mes amis ! Nous avons tous eu droit à une bonne bouffée, hein ? Pouark ! Quelle infection ! Bon, ce n'est pas tout, ça ! Dans quel état sont mes exemplaires de démonstration ?

Il empoigna sa valise et la posa sur ses genoux. Il ouvrit les fermoirs, souleva le couvercle et hocha la tête d'un air satisfait. La valise était pleine d'encyclopédies.

–Ah, tout est là ! C'est que les livres, ça se livre !

Comme personne ne rit, il insista :

– Livres, livrer. Ha, ha ! Je livre les livres aux clients ! Encore une de mes petites blagues ; j'en ai des centaines comme ça.

– Il n'est pas nécessaire de nous les servir toutes, monsieur Durham, observa froidement Lady Grant.

Frank brisa le silence embarrassé qui suivit en lançant avec entrain :

– Viens, Mignus ! Allons nous occuper des autres !

La rescapée suivante fut la petite fille. Frank poussa les trois figurines d'ours loin du tronc du sapin pour faire de la place.

On décida que le plus simple serait d'envoyer Mignus en haut de l'arbre avec quelques lamelles de carotte pour alimenter la fillette. Frank prêta à Mignus le harnais dont il se servait pour travailler au sommet des poteaux électriques, et lui montra comment en équiper la jeune victime afin d'éviter tout risque de chute.

– Et sois prudent, Mignus ! Nous avons besoin de toi !

Le sapin était facile à escalader, grâce à ses branches régulières. Mignus arriva vite à la hauteur de la fillette. Ses bras serraient étroitement le tronc, et elle pressait sa joue contre l'écorce rugueuse. Ses yeux étaient fermés, et quand Mignus lui toucha l'épaule, elle lâcha un cri étouffé.

– N'aie pas peur, murmura Mignus. Je vais attacher ceci autour de toi pour que tu ne tombes pas. Voilà ! Maintenant, avale ça ! Et ne t'en fais pas, tout se passera bien.

Mignus lui glissa dans la bouche une lamelle de carotte. Presque aussitôt, la petite fille lâcha le tronc et jeta ses bras autour du cou de Mignus en sanglotant :

– Merci ! Oh, merci ! Merci !

Mignus rougit encore davantage que sous les compliments de Lady Grant. Les larmes de la fillette trempaient sa vieille chemise.

– Ça va aller ? demanda-t-il en espérant qu'une jeannette savait descendre d'un arbre aussi bien qu'elle savait pleurer.

La petite fille hocha la tête. Et, dès que Mignus eut défait le harnais, elle dégringola de branche en branche avec l'agilité d'un écureuil.

Tous l'entourèrent et, bientôt, elle se calma et fut en mesure de raconter son histoire.

Elle s'appelait Kitty Webb, et – erreur fatale ! – elle avait sonné à la porte de Basil dans l'intention de lui vendre des gâteaux fabriqués par son groupe de jeannettes. À peine Basil était-il apparu dans l'embrasure de la porte que Kitty avait tenté de fuir, ce qui était la seule chose à faire. Mais Basil avait abattu sur elle son hideuse main couleur de cire. La suite, tout le monde la connaissait.

Lady Grant tira de son sac un mouchoir pour essuyer les traces de larmes sur le visage de la petite tout en roucoulant :

– Quel charmant uniforme ! Aussi élégant que mon tailleur ! Et tu en as, des badges ! Tu dois être une enfant pleine de qualités !

– À qui le tour, maintenant, Mignus ? demanda Frank.

– Eh bien, il y a cet homme, du côté du lac.

– Nous te suivons !

Mignus mena le petit groupe vers la clairière, à sept ou huit minutes de marche. À mi-chemin, Lady Grant, qui traînait à l'arrière, commença à grommeler :

– C'est encore loin ? Je ne suis pas chaussée pour une promenade en forêt !

William O. Durham se retourna et lança avec un petit rire :

–Mais vous, ma bonne dame, vous ne trimbalez pas une valise pleine d'encyclopédies ! Le savoir, ça pèse des tonnes ! C'est pour ça que les savants ont la grosse tête ! À cause de tout ce poids qu'ils ont fourré dans leur cervelle !

Arrivés dans la clairière, ils s'arrêtèrent en cercle pour observer l'homme assis sur le tronc abattu. C'était un géant noir qui mesurait bien trois centimètres de haut. Dans la vraie vie, calcula Mignus, sa taille devait être de deux mètres ! D'impressionnants pectoraux gonflaient sa poitrine de plastique, et ses bras étaient aussi épais que des troncs d'arbre. Mignus crut d'abord son état désespéré. La moindre parcelle de son corps paraissait rigidifiée. Et, quand ils lui parlèrent, il ne répondit pas.

–Il est encore vivant, à votre avis ? s'inquiéta William.

–Il y a un moyen de s'en assurer, dit Frank.

Il fouilla dans sa boîte à outils et en sortit un petit miroir rond monté sur une tige de métal coudée.

–Je m'en sers pour voir dans les angles, expliqua-t-il.

Il plaça le miroir sous le nez du bûcheron. Puis il l'examina attentivement.

–Regardez ça !

Tous se penchèrent. Le centre du miroir était embué.

–Ses poumons fonctionnent, dit Frank. La question est maintenant de savoir comment lui faire avaler un morceau de carotte.

—Attendez une minute, intervint William, que je jette un œil dans un de mes livres !

Il s'assit sur une souche et ouvrit sa valise. Il y choisit une encyclopédie, qu'il feuilleta rapidement, et s'écria en pointant le doigt :

—Voilà !

C'était une page d'anatomie, et l'illustration que William désignait représentait une tête humaine en coupe : le cerveau, les différents conduits reliant le nez, la bouche et la gorge.

—Regardez ! s'exclama William en promenant son doigt sur l'image. Vous voyez comment les fosses nasales rejoignent l'arrière-gorge ? Ce type respire. Donc, si nous coupons la carotte en morceaux minuscules, et si notre copain renifle assez fort, on arrivera peut-être à les lui faire ingurgiter.

—Avaler par le nez, c'est immonde ! objecta Lady Grant.

—Mais ça vaut mieux que de finir en plastique, déclara Frank. J'en sais quelque chose. Mignus m'a sauvé à temps. Cinq ou six jours de plus, et...

La voix lui manqua.

William referma son encyclopédie :

—Vérifions d'abord si ce gars est capable de renifler.

Il se pencha vers le visage rigidifié :

—Hé, mon pote ! Peux-tu renifler ? Fort !

Ils entendirent tous le bruit, celui d'une profonde inspiration à travers les narines de plastique.

– Bien ! fit William.

Il se tourna vers Mignus :

– Il faudra pas mal de carotte pour un costaud pareil ! Et tu vas nous couper ça ultra fin !

Mignus se mit au travail. S'appuyant sur une souche, il prépara un monticule de minuscules parcelles. William en déposa une pincée sur sa paume et la plaça sous le nez de l'homme :

– Allez, mon gars ! Ça va être assez désagréable ! Et fais attention de ne pas t'en envoyer dans les poumons. Mais, si ça a marché pour chacun de nous, ça marchera pour toi, il n'y a pas de raison ! Vas-y ! Renifle de toutes tes forces !

Sniff.

Quelques filaments de carotte disparurent dans le nez de l'homme. Il y eut un bruit de toux, d'étranglement. Puis plus rien.

– Ça va ? s'alarma William. Si tu vas bien, renifle deux fois !

Sniff sniff.

– C'est passé par le bon tuyau ? Droit dans le buffet ?

Sniff sniff.

– Parfait ! Allez, encore un petit coup !

Sniff sniff.

Il fallut une bonne demi-heure pour faire ingurgiter au bûcheron une vingtaine de miettes de carotte, et chaque inhalation était accompagnée des mêmes quintes de toux et du même étranglement. Mignus commençait à désespérer quand il remarqua soudain une légère contraction au coin de la bouche. Les lèvres s'entrouvrirent – elles n'avaient plus la rigidité du plastique !

William approchait une fois de plus sa paume du nez de l'homme.

–Attendez ! cria Mignus. Regardez ! Regardez sa bouche ! Il peut avaler normalement !

Ensuite, ce fut facile. Plus de toux, plus d'étouffements. Le bûcheron retrouvait peu à peu un visage humain, fait de muscles et d'os recouverts de peau. Bientôt, il put parler, d'une voix encore hésitante et pâteuse :

–Oh, les gars ! Je suis content que ce soit fini ! Vous avez déjà mangé par le nez ? Croyez-moi, c'est sacrément désagréable ! Merci quand même ! Un million de mercis ! Je m'appelle Kip. Kip Lovell.

–Vous êtes là depuis longtemps, on dirait, fit remarquer Frank.

Kip hocha la tête :

–Depuis le début ! Je suis charpentier. J'ai construit la table pour M. Tramblebone. Le travail terminé, il s'est plaint que les bords étaient rugueux. Je suis donc resté une journée de plus pour les poncer. Et, tout à coup, il m'a soufflé dans la figure.

– Parfaitement immonde ! soupira Lady Grant.

Pas de doute, *immonde* était son adjectif préféré !

– Après quoi, je me suis retrouvé sur cette table, pas plus haut qu'un clou ! Tramblebone m'obligeait à construire sa maquette. Au début, il me nourrissait correctement, avec des petits morceaux de viande et de légumes, et un peu d'eau. Mais, une fois le décor presque achevé, il a répandu ses miettes de beignets et ses gouttes de limonade. C'en était fini de moi ! Ensuite, je vous ai vus arriver les uns après les autres. Je t'observais, jeune Mignus, et je me demandais au bout de combien de temps tu nous rejoindrais. Voilà qui est fait !

Kip mit sa sacoche de charpentier sur son épaule, ramassa la tronçonneuse et le bidon d'essence, et se releva. Il dominait tout le monde de la tête et des épaules. Jetant un regard aux trois figurines menaçantes, derrière lui, il grommela :

– Ce Basil est un malade mental !

– C'est un malade tout court ! rectifia William en rangeant son encyclopédie. Quand on a une haleine aussi puante, et qu'on est capable de réduire un type comme moi à la taille d'une punaise, c'est qu'on a un gros problème à l'estomac. Logique, non ?

–Il n'y a rien de logique dans tout ça, répliqua Frank. Avec Basil Tramblebone, on peut balancer la logique par la fenêtre.

William secoua sa tête ronde :

–C'est le bonhomme que je voudrais flanquer par la fenêtre ! Mais il doit bien y avoir une explication scientifique à ce phénomène !

–S'il y en a une, j'aimerais la connaître ! pesta Lady Grant.

Il y eut un bref silence, chacun réfléchissant. Puis William ouvrit la bouche pour intervenir, mais Frank ne lui en laissa pas le temps :

–Reste-t-il quelqu'un, Mignus ?

–Oui, une vieille dame.

Frank acquiesça :

–Ah oui ! Je me souviens d'elle. Où se trouve-t-elle ?

Mignus montra la direction de la ville :

–Sur la voie de garage d'une ligne secondaire, dans la deuxième gare.

Kip se plaça au milieu du groupe. Levant les yeux vers la lucarne du grenier, perdue dans le lointain, il déclara :

–On a intérêt à se dépêcher. Le jour baisse.

Le temps qu'ils rejoignent la vieille dame, il faisait presque nuit. Ils écartèrent en hâte les figurines de plastique penchées sur leur victime.

Kip prit un couteau tranchant dans sa sacoche et coupa les liens qui l'entravaient. Sa bouche fonctionnait encore, et elle remercia avec effusion ses libérateurs tandis qu'ils l'emportaient hors des rails et la déposaient sur le quai. Mignus lui fit avaler quelques rondelles de carotte – notant au passage qu'ils avaient utilisé à peu près la moitié de sa réserve –, et la vieille dame fut vite capable de s'asseoir.

Elle s'appelait Prudence Peyser, et elle était de loin la plus âgée de leur petit groupe. Une masse de cheveux gris en désordre encadraient son visage sillonné de rides. Elle était vêtue d'un vieil anorak en nylon vert et d'une jupe de tweed, chaussée d'une paire de bottillons pour pieds sensibles, et portait d'épais bas de laine. Après avoir décliné son identité, elle ajouta :

–Je suis warlackologiste.

–Vous êtes... quoi ? s'étonna Mignus.

Prudence parut embarrassée :

–Warlackologiste. Oui, c'est un nom bizarre. On me prend souvent pour une vieille folle. Je voyage pour étudier les warlacks. La plupart des gens ignorent de quoi il s'agit. Et s'ils le savent, ils n'y croient pas.

–Je n'ai jamais entendu parler de ça, dit William.

–Vous avez bien entendu parler des sorciers, je suppose ? reprit Prudence.

Tous hochèrent la tête.

–Entendu parler, oui, précisa William. Cependant, s'ils ne sont pas dans les encyclopédies – et ils n'y sont pas, j'en suis sûr, car je les ai lues de la première à la dernière ligne – c'est qu'ils n'existent pas.

–Ils n'y sont pas, expliqua Prudence, parce que les gens qui écrivent les encyclopédies ne croient pas à leur existence. À notre époque, on ne saurait les en blâmer. Toutefois, vous changerez peut-être d'avis quand vous apprendrez qu'il existe trois niveaux de sorcellerie.

–Ah, parce qu'il y a trois niveaux! railla William.

Prudence soupira :

– Oui, monsieur Durham, il y en a trois. Rien de tout ça ne figure dans votre encyclopédie, bien sûr. Mais vous n'y figurez pas non plus, et cependant vous existez, n'est-ce pas ?

William ouvrit la bouche pour répliquer, puis jugea préférable de se taire.

– Hum..., fit-il simplement.

Et il fixa le bout de ses chaussures.

Mignus sourit. La vieille dame lui plaisait beaucoup. Elle continua :

– Nous avons d'abord les enchanteurs. Comme vous le savez grâce aux contes de fées, les enchanteurs sont des êtres bons, qui usent de leurs pouvoirs en vue de faire le bien. Merlin en est le meilleur exemple, à supposer que Merlin ait existé, naturellement. Il y a encore quelques enchanteurs parmi nous, qui ne se font guère remarquer. Ils collectionnent les timbres, écoutent de la musique classique et réparent les vieilles pendules. Si vous rencontrez des personnes de ce genre – vieux messieurs ou vieilles dames – inutile de vous inquiéter, vous pouvez être sûrs qu'il s'agit d'enchanteurs.

« Viennent ensuite les magiciens. Ces sorciers-là ont un côté obscur. Ils utilisent le plus souvent leurs pouvoirs pour faire le bien, mais pas toujours. Certains deviennent avocats, vous en connaissez sans doute. D'autres sont politiciens. Si un homme politique refuse toute nouveauté et ne s'intéresse pas à la jeunesse, s'il porte des vêtements coûteux, conduit des voitures de luxe et boit des vins de grand cru, vous n'avez en principe rien à craindre de lui. Tenez-vous tout de même sur vos gardes si vous en côtoyez un.

« Enfin, il y a les warlacks. Ça, c'est vraiment autre chose. Dès que vous approchez un warlack, la peur vous prend, une peur affreuse. Les warlacks, voyez-vous, sont des magiciens devenus fous. Les enchanteurs ne deviennent jamais fous. Par contre, ça arrive aux magiciens, probablement à cause du stress. Ils se transforment alors en warlacks. Le cas n'est pas fréquent, et c'est heureux, car vous ne pouvez rien contre les warlacks. Ils se sont laissé envahir par leur côté obscur, et sont totalement incontrôlables. Les enchanteurs et les magiciens les détestent et les craignent, parce que les warlacks tirent leur puissance de leur folie. Ils ne réfléchissent pas avant d'agir, leur pouvoir est donc entier. On est sans défense face à un tel pouvoir.

–Et… Basil est l'un d'eux ? demanda Frank.

–Autant que je puisse en juger, la réponse est oui.

–Quoi qu'il en soit, intervint Lady Grant, c'est un être immonde.

–Moi, je n'y connais rien, reconnut William. Enchanteurs, magiciens, warlacks… Et les sorcières, alors ?

Prudence secoua ses mèches grises :

–Les sorcières, monsieur Durham, c'est différent ! Elles n'ont aucun pouvoir maléfique. Elles sont simplement en relation avec les forces de la nature.

William fit la moue :

–Oh, mes amis ! C'est un peu tiré par les cheveux, non ?

Frank ôta son casque jaune et se gratta la tête :

–Si Mme Prudence le dit, nous devons lui faire confiance. La preuve de ce qu'elle affirme est ici, il me semble !

–Je ne sais pas, soupira William. Ça ne me paraît guère scientifique. Dans mes livres...

–Vos livres concernent le monde réel, reprit Frank. Mais nous ne sommes plus dans la réalité, regardez autour de vous !

William examina les parages, la mine sombre :

–C'est vrai. Vous marquez un point. On dirait que ces warlacks existent bel et bien.

–Bien sûr qu'ils existent ! s'écria Kitty.

Tout le monde se tourna vers elle, étonné. Jusque-là, elle était restée silencieuse, ne quittant pas Mignus d'une semelle. Elle rougit brusquement et baissa la tête.

–Moi, j'y crois, ajouta-t-elle, si bas qu'on l'entendit à peine.

Kip approuva :

–Moi aussi, j'y crois. Ce serait fou de ne pas y croire, puisque nous sommes tous victimes de l'un d'eux!

Prudence eut l'air soulagée :

–Je suis contente que vous en conveniez. Voyez-vous, j'étudie le cas de Basil Tramblebone depuis pas mal de temps. J'ai observé sa maison pendant six mois. C'est le nuage de pluie qui l'a trahi. Les warlacks ont toujours un nuage noir suspendu au-dessus de leur tête, ça fait partie de leur côté obscur. Quoi qu'il en soit, un jour, j'ai été imprudente. Basil m'a surprise en train de le guetter. Et, en un éclair, je me suis retrouvée ici.

–Basil est-il un très puissant war… ba… back… ? demanda Mignus, nerveux.

–Warlack, corrigea Prudence. Tous sont puissants. Dieu merci, ils ne sont pas nombreux. Mais Basil est le plus mauvais et le plus retors que j'aie jamais rencontré.

–Y a-t-il quelque chose qu'on puisse faire – je veux dire, contre eux? demanda Frank.

Prudence haussa les épaules :

–Pas vraiment. Les warlackologistes s'accordent pour dire qu'un sort jeté par un warlack est plus puissant que lui-même. Cela signifie que, s'il y avait un moyen de retourner le sort contre lui, il n'y résisterait pas. Toutefois, ce n'est qu'une théorie. Autant que je sache, personne ne l'a vérifiée.

Il y eut un lourd silence, chacun ruminant cette information. Puis Prudence demanda :

–Au fait, quelqu'un a-t-il vu mon chien ? C'est un petit bâtard noir et blanc.

–C'est un vrai ? s'écria Mignus, qui avait toujours aimé la figurine du petit chien. Je sais où il est !

–Est-ce que…, murmura Prudence avec émotion, est-ce que je pourrais avoir encore un peu de carotte pour lui ? J'aime beaucoup mon petit Tinker, vois-tu !

Ils trouvèrent Tinker au pied du réverbère. C'était une espèce de fox-terrier au poil dru, avec un bout de queue en l'air.

Lui faire avaler de la carotte ne fut guère facile. Il commença par tout recracher. À force de lui remplir la gueule, ils finirent tout de même par l'obliger à en absorber un peu. L'instant d'après, il bondissait autour du petit groupe en jappant comme un fou.

–C'est à cause de lui que Basil m'a repérée, expliqua Prudence. Tinker ne pouvait s'empêcher d'aboyer dès qu'il l'apercevait. Je crois qu'il déteste les warlacks encore plus que moi !

Les épaules de Lady Grant s'affaissèrent, et elle fixa le sol d'un air désespéré.

–Allons ! reprit Prudence avec vivacité. Ne nous laissons

pas abattre ! Regardez ! Nous sommes tous vivants, grâce à Mignus.

– Mais comment allons-nous faire pour le rester ? gémit Lady Grant. Nous ne pouvons pas descendre de cette table, elle est bien trop haute. Nous sommes coincés ici. Nous ne tiendrons pas longtemps avec les carottes de Mignus. Il ne doit pas en rester beaucoup.

Mignus examina le contenu de son sac en papier. Il y compta cinq carottes et quelques rondelles :

– En effet, on n'a plus grand-chose.

– Oooooh ! se lamenta Lady Grant. Nous allons mourir de faim.

– Non, dit Mignus. Non, je ne pense pas.

– Bien sûr que si ! Nous serons bientôt à court de nourriture. Que ferons-nous, alors ?

Pas très sûr que les adultes jugent son idée valable, Mignus proposa timidement :

– Je me disais que..., si une minuscule quantité de carotte suffit à nous ramener à la vie, peut-être pouvons-nous manger des miettes de beignets. Dès que nous sentirons la raideur nous envahir, nous n'aurons qu'à avaler une lichette de carotte. De cette façon, notre provision durera un certain temps.

Tout le monde le dévisagea d'un air interloqué. Il regrettait déjà d'avoir ouvert la bouche quand Frank sourit :

–Toi, alors, tu ne manques pas d'astuce ! En suivant ton idée, on devrait résister un bon moment.

–Excellent, Mignus ! le félicita Lady Grant de sa voix de grande dame. Dommage que ces carottes soient immondes ! Tant pis, on s'en contentera ! On pourrait au moins les laver, non ?

–Et on n'est pas obligés de boire de la limonade, reprit Mignus. Basil a installé un château d'eau pour remplir la chaudière de ses locomotives. On ne mourra pas de soif.

–Décidément, approuva Kip, tu es un malin !

Sous ces regards admiratifs, Mignus se sentit rougir. Il n'était pas habitué aux compliments. Basil lui faisait sans cesse remarquer à quel point il était stupide, et, jusqu'à présent, le garçon l'avait cru. Il avait d'ailleurs été parfaitement stupide en s'imaginant qu'il pourrait jouer avec les trains. Et voilà que tous ces gens louaient son intelligence !

En vérité, même s'il l'ignorait, Mignus avait l'esprit vif et ne manquait pas d'idées. Comme une pensée le préoccupait, il décida de s'en ouvrir aux autres :

–Excusez-moi, il y a une chose que je ne comprends pas. Frank m'a dit de ne pas manger de beignets, de ne pas boire de limonade. Vous vous étiez sûrement passé la consigne les uns aux autres, quand vous pouviez encore parler ?

–Exact, répondit Frank.

–En ce cas, pourquoi avez-vous couru ce risque ?

–Parce qu'on mourait de faim. C'est terrible, la faim ! On avalerait n'importe quoi.

Prudence intervint :

–C'est ce qui arrive, paraît-il, aux naufragés embarqués sans eau douce dans un canot de sauvetage. Ils savent que boire de l'eau de mer peut les tuer. Pourtant ils finissent par en boire.

Chacun approuva d'un air sombre. Kip leva alors les yeux vers les poutres :

–Il est grand temps de nous mettre à l'abri. Il fait presque nuit.

Tous examinèrent les hauteurs du plafond avec effroi. Prudence frémit :

–Seigneur ! J'avais oublié. Ce n'était plus un problème quand nous étions en plastique, mais à présent…

–À présent, nous sommes de nouveau en danger, continua Kip en ramassant sa sacoche. On ferait bien d'y aller.

–Aller où ? voulut savoir Prudence.

Les regards se braquèrent sur Mignus, comme si le garçon avait la réponse à la question. Mais Mignus ignorait aussi bien la nature du danger que le moyen de s'en protéger. Il haussa les épaules et détourna la tête, espérant que quelqu'un d'autre proposerait une solution.

–Il nous faut un lieu sûr, intervint alors Lady Grant. Une construction solide.

Elle désigna le jardin public, à l'autre bout de la ville.

–Je me suis souvent réfugiée là-bas, à l'hôtel de ville. C'est le seul bâtiment, dans cet endroit immonde, qui me rappelle un peu ma maison. La structure est robuste, le toit et les murs sont épais. Je ne pense pas qu'elle puisse nous attraper, là-dedans.

–Qui, elle ? demanda Mignus avec anxiété.

Kitty Webb se laissa tomber par terre et se mit à pleurer. Tinker, qui se tenait près de sa maîtresse, trotta vers la fillette et lui donna un grand coup de langue sur la joue. Kitty sourit à travers ses larmes. Tinker, qui appréciait leur goût, lécha de plus belle. *Salées à point, ces petites gouttes d'eau. Encore, encore, petite humaine !*

Mais Prudence repoussa gentiment l'animal, releva Kitty et l'entoura de son bras :

–Tu as toujours très bien su te dissimuler, et elle n'a pas pu t'attraper. Elle n'a attrapé aucun de nous. Nous serons en sécurité, à l'hôtel de ville. La suggestion de Lady Grant est excellente. Je me suis abritée là-bas plusieurs fois, moi aussi, et elle ne m'a jamais trouvée.

Kitty renifla et s'essuya le nez à la manche de son uniforme :

–Mais elle en a attrapé d'autres, n'est-ce pas ?

–Parce qu'ils étaient mal cachés, ou pas assez rapides. Kip a raison, il ne faut pas perdre de temps.

Mignus se demanda pourquoi personne n'avait répondu à sa question. Il se promit de la poser de nouveau, plus tard. Il suivit le groupe remontant à grands pas les rues qui s'obscurcissaient. Ils atteignirent bientôt le parc. Comme ils passaient devant la statue, Mignus interrogea Prudence :

– Savez-vous ce que signifie la deuxième ligne ?

– Bien sûr ! Le grand général romain Jules César a prononcé ces mots quand il a conquis la Gaule. *Veni, vidi, vici.* C'est du latin. Ça veut dire : *Je suis venu, j'ai vu, j'ai vaincu.*

– Oh ! fit Mignus.

– Notre cher Basil est un warlack fort prétentieux. Tu te rends compte, se comparer à Jules César !

Mignus sentit Kitty le tirer par le bras :

– Tu viens ? Tout le monde nous attend.

Du haut des marches menant au portail massif de l'hôtel de ville, Kip et Frank leur faisaient de grands signes.

Prudence scruta les ombres du plafond, puis se tourna vers les enfants :

– Oui, dépêchons-nous ! Il n'y a plus un instant à perdre.

Elle prit Mignus par l'autre bras. Tous trois traversèrent au pas de course la fausse pelouse en toile émeri, ils escaladèrent les marches. Et, entrouvrant la grande porte, le groupe s'engouffra dans son abri.

5. La Bête

L'hôtel de ville ressemblait – en plus grand – au long bâtiment que Mignus avait traversé, près de la gare de triage. De l'extérieur, il paraissait avoir trois étages. Mais, à l'intérieur, ce n'était qu'un vaste espace vide, très haut de plafond, avec un plancher en contreplaqué.

Les rescapés se réfugièrent dans un coin. William s'assit sur sa valise. Frank posa sa boîte à outils et s'adossa au mur. Kip resta debout, sa lourde sacoche pendue à son épaule, sa tronçonneuse et son bidon d'essence au bout de ses grosses mains.

–Nous formons un petit groupe plein de ressources, fit-il remarquer. Nous comptons parmi nous un électricien, un gars qui possède des livres très intéressants. Moi, je suis un bon charpentier, et cette dame s'y connaît en warlacks.

–Oh, juste un peu, protesta modestement Prudence.

–Vous en savez davantage que nous tous réunis, insista

Kip. De plus – et c'est un vrai plus ! – il y a ici quelqu'un qui a l'esprit vif et sait garder son sang-froid.

–Vous êtes trop aimable, murmura Lady Grant.

Kip éclata de rire :

–Sauf votre respect, Lady Grant, je parlais du jeune Mignus.

–Oh ! fit la dame. C'est exact. Il est malin. Et gentil. Et courageux. Et très sale. Quant à sa coupe de cheveux, elle défie l'imagination. Néanmoins, nous lui sommes tous grandement redevables.

Mignus vira à l'écarlate. Ça lui arrivait souvent, depuis quelque temps !

–Vous avez raison, Lady Grant, approuva Kip. Merci de nous le rappeler. Et, pour finir, il y a cette demoiselle très douée, les nombreux badges qui ornent son uniforme en témoignent !

Mignus pensa que la petite Kitty Webb était surtout douée pour pleurer et se coller à lui. Elle ne l'avait pas lâché d'un pas depuis qu'elle était descendue de son arbre.

–Oui, conclut Kip, nous formons une fine équipe. En réunissant nos talents, nous devrions trouver le moyen de sortir d'ici.

Lady Grant fit la moue :

–Je voudrais bien y croire ! Mais regardons les choses en face : nous mesurons deux centimètres, et nous sommes coincés sur cette table, à la merci d'une chose immonde, embusquée dans les poutres du grenier, qui…

Sautant sur l'occasion, Mignus lui coupa la parole :

– C'est *quoi*, cette chose dans les poutres ?

Tous le dévisagèrent en silence, comme s'ils hésitaient à lui répondre. Frank finit par se décider :

– Nous n'aimons pas en parler, Mignus. Pourtant, il vaut mieux que tu le saches. Tu le découvriras tôt ou tard, de toute façon. La chose dans les poutres est une chauve-souris.

Une chauve-souris ? Mignus fronça les sourcils, perplexe. Il n'avait jamais eu peur des chauves-souris. C'étaient de mignonnes petites bêtes à la douce fourrure ; elles se nourrissaient d'insectes, et dormaient la tête en bas, enveloppées dans leurs ailes noires, ce qui les faisait ressembler au parapluie fermé de Basil.

Frank perçut son étonnement :

– Je sais ce que tu penses. Qu'a-t-on à craindre d'une chauve-souris ? Rien ! Sauf quand on a la taille d'un insecte… Elle devient alors un monstre redoutable.

– C'est une chose immonde, quelle que soit votre taille ! s'écria Lady Grant.

– Et celle-là n'est pas une chauve-souris ordinaire, précisa Prudence. Elle n'a l'aspect d'aucun chiroptère de ma connaissance.

– Mon encyclopédie ne mentionne pas cette espèce, renchérit William.

– Celle-là a des pattes, enchaîna Kip. Terminées par des serres, comme les aigles. Je n'avais jamais vu de chauve-souris avec des serres.

– Habituellement, reprit William, les chauves-souris attrapent leurs proies avec leur gueule. Celle-là les saisit avec ses longues griffes recourbées, et les emporte dans les poutres. C'est quelque chose d'épouvantable, crois-moi !

Kitty se remit à pleurer sans bruit, le visage enfoui dans la manche de Mignus.

– Elle sort la nuit, murmura-t-elle, si bas que seul Mignus l'entendit. Elle sort la nuit, et elle nous mange.

– Elle ne t'a pas encore mangée ! lui fit remarquer Mignus, espérant que la fillette cesserait de pleurer.

Sa manche était déjà toute mouillée.

– Elle a mangé les autres, répliqua Kitty en sanglotant de plus belle.

Mignus interrogea le petit groupe du regard. Tous, la mine tragique, détournèrent les yeux.

– Qui étaient les autres ? demanda-t-il.

– Il y avait une vingtaine de personnes, répondit Frank. Des gens de toutes sortes. Ils n'ont pas eu de chance. La bête les a capturés avant qu'ils soient transformés en figurines de plastique.

–Une fois qu'on est en plastique, expliqua Kip, elle nous laisse tranquilles. Elle ne mange pas le plastique.

–Mais tant qu'on est humain, il faut se cacher, dit William.

Mignus médita un moment ces informations.

–Pourtant, reprit-il, je vous ai tous trouvés dehors. Vous ne restiez donc pas à l'abri, quand vous commenciez à vous rigidifier ?

–Bien sûr que si ! dit Lady Grant. Surtout la nuit, cela va de soi. Hélas, une fois devenus complètement raides, nous étions à la merci de Basil. Cet immonde personnage nous tirait alors de notre cachette avec sa pince à épiler. Voyez dans quel état il a mis mon tailleur, un vêtement haute couture hors de prix ! Après quoi, il nous plaçait où bon lui semblait.

–Regardez, murmura Frank en désignant une fenêtre. Il fait nuit.

–La bête va bientôt sortir, lâcha William.

Il avait entassé ses encyclopédies pour s'aménager une espèce de fauteuil où il s'était confortablement assis.

–Je veux la voir, déclara Mignus.

–D'accord, dit Frank. En restant accroupi près de la fenêtre, tu ne risques rien.

–Vous allez la guetter aussi ? s'enquit le garçon, espérant un peu de compagnie.

–Je l'ai déjà vue, Mignus. Nous l'avons tous vue. Trop souvent.

Mignus s'approcha du mur et s'accroupit, le nez à la hauteur d'un rebord de fenêtre. Il apercevait encore les silhouettes noires des arbres et la statue du jardin public. Mais les maisons, de l'autre côté du parc, se perdaient dans l'obscurité.

Mignus se sentit envahi par un profond désespoir. Son existence avait toujours été des plus misérables. Mais, désormais, son avenir lui paraissait bien compromis. Combien de temps survivraient-ils, les uns et les autres, dans ces conditions ? Quelques semaines, tout au plus, avant que la provision de carottes soit épuisée.

Et après ? La faim les pousserait à consommer les miettes de beignets et la limonade rose. Fatal repas, qui les condamnerait à une lente paralysie. Enfin, le plastique s'emparerait de leur corps, ils cesseraient de respirer. Et quand on cesse de respirer, on meurt.

Non, c'était impensable ! Il devait exister un moyen d'échapper à un sort aussi affreux.

Alors, il l'entendit. *Flap flap flap.*

C'était un battement lointain, évoquant un claquement de cuir et un sifflement d'air remué.

Puis une silhouette apparut au-dessus du décor, une forme monstrueuse. Ses ailes noires et menaçantes largement étendues, la créature descendait peu à peu vers le parc en décrivant de grands cercles.

Flap flap flap…

–Elle est là, souffla Mignus.

Comme personne ne réagissait, il se retourna et vit que ses compagnons étaient blottis contre le mur du fond, les yeux agrandis par la peur.

– Elle ne peut pas entrer, tout de même ?

– Je ne pense pas, répondit Lady Grant d'une voix peu assurée. Lorsque j'étais cachée ici, elle le savait, j'en suis persuadée. Et elle ne m'a pas attrapée.

Mignus reprit son guet, les yeux au ras de la fenêtre.

La chauve-souris vira en rase-mottes. Elle était gigantesque. Mignus distingua la fourrure de son ventre. Il aperçut une oreille énorme, pivotant de droite à gauche comme pour détecter la présence d'une proie. Soudain, dans un furieux battement d'ailes, la bête se posa dans le parc. Elle se tint immobile un instant, puis elle s'avança vers l'hôtel de ville.

Sa démarche avait quelque chose de si... anormal que Mignus ferma les yeux une seconde, espérant que sa vue lui avait joué un tour. Les chauves-souris, il le savait, se déplacent difficilement à terre. Elles doivent ramper en s'aidant des petites griffes disposées au bord de leurs ailes. Mais cette chauve-souris-là – si c'était bien une chauve-souris – était dressée sur une paire de pattes squameuses, et elle marchait comme un oiseau géant. Ses serres raclaient bruyamment la fausse herbe en papier de verre. D'un coup de patte, elle renversa le tigre du Bengale, qui roula plusieurs fois sur lui-même et s'écrasa contre le socle de la statue. La bête n'y prêta pas attention. Elle continua droit devant elle, remuant la tête d'avant en arrière à la manière d'un pigeon. Mignus vit deux yeux rouges, aussi larges que des assiettes, un museau plissé comme le groin d'un porc, une espèce de bouche sans lèvres dévoilant deux rangées de dents jaunes aussi pointues que des aiguilles.

Le monstre approchait de la fenêtre où se tenait Mignus.

Il se tassa sur lui-même et se poussa sur le côté, ne guettant plus que du coin de l'œil. Il sentit une odeur forte, rappelant une cage à lapins qu'on n'aurait pas nettoyée depuis un bon moment.

Le corps de la chauve-souris obstrua la fenêtre. Sa tête dominait le toit de l'hôtel de ville, et elle dut se baisser pour regarder par le carreau. Son haleine embua la vitre. Mignus, tapi contre le mur, constata que le regard brûlant l'ignorait, balayant l'intérieur de la pièce sans fixer un point précis.

Tinker aboya. Quelqu'un poussa un cri strident. Mignus pensa d'abord que c'était Kitty, puis réalisa qu'il s'agissait de Lady Grant. La main devant la bouche, elle ouvrait des yeux épouvantés.

– Chut ! lui intima Mignus d'un air farouche. Elle va nous entendre.

–Elle nous a déjà entendus, siffla Kip. Son ouïe est stupéfiante. Je suis sûr qu'elle perçoit le battement de nos cœurs.

–Ne la laissez pas me prendre, gémit Lady Grant entre ses doigts.

Un bruit à la fenêtre alerta Mignus. *Scritch scritch scritch...* Une griffe géante grattait la vitre.

–Elle va rentrer ! hurla William en sursautant si violemment que ses livres s'écroulèrent avec fracas.

Lady Grant cria de nouveau.

Scritch scritch scritch...

Horrifié, Mignus vit le carreau s'incurver sous la pression. Il se jeta en arrière et, à quatre pattes, rejoignit ses compagnons.

–Elle sent aussi nos odeurs, murmura Frank. Toutes ces proies redevenues humaines et rassemblées en un seul lieu, quelle aubaine ! Elle ne doit pas croire à sa chance !

Ils attendaient, retenant leur souffle.

La vitre se brisa en claquant comme un coup de feu.

Soudain, une lumière s'alluma dans le grenier. Ce n'était qu'une pauvre clarté jaunâtre. Mais elle suffit à écarter de la fenêtre la face hideuse de la bête. Ils la virent reculer, s'éloigner en hâte du bâtiment, se ramasser sur elle-même avant de s'élever dans les airs ; et le sinistre battement des ailes décrut peu à peu.

Tout le monde poussa un soupir de soulagement. Kitty – qui s'était de nouveau blottie contre Mignus – demanda d'une petite voix :

– Elle est partie ?

– On dirait, répondit Mignus. Mais d'où vient cette lumière ?

– De la lampe, dit Frank. Celle qui pend au-dessus du circuit.

– Nous voilà bien ! soupira Kip.

– On a sauté de la poêle pour se flanquer dans le feu, grommela William.

– C'est Basil, expliqua Prudence, repoussant nerveusement les mèches qui retombaient sur son front. Il est là. Et il se demande ce qu'on est devenus.

Ils attendirent, l'oreille aux aguets. Il y eut un long silence. Enfin, une exclamation retentit au-dessus de leurs têtes comme un coup de tonnerre :

– QUE SSSE PASSSE-T-IL ICI ?

Le bâtiment entier vibra, et un peu de poussière descendit lentement du plafond.

– OÙ SSSONT MES PETITES VICTIMES PRÉFÉRÉES ?

Le silence retomba.

Puis, d'une voix évoquant le sifflement sinistre du vent s'engouffrant dans une cheminée, Basil menaça :

– C'est toi, Mignusss, n'est-ce pas ? Tu t'es amusé avec mes persssonnages de plassstique ! Où les as-tu disssimulés, Mignusss ? Et pourquoi as-tu fait ça ? Il faut remettre mes petites victimes à leur place, Mignusss ! Tu vas sssortir de ta cachette et me montrer où elles sssont ! Je ne te ferai pas de mal sssi tu sssors tout de sssuite. Allez, Mignusss, montre-toi !

– Qu'est-ce que je fais ? chuchota Mignus.

– Ne bouge pas ! souffla Frank. Il ne sait pas où tu es, et il ne mettra pas son cher circuit en pièces pour te retrouver !

–Je penssse à quelque chose, Mignusss, susurra de nouveau la voix de Basil. Pourquoi ma ravisssante amie regardait-elle par la fenêtre de l'hôtel de ville d'un air sssi intéresssé ? Sssais-tu ce qui attirait tant ma douce Cuddlebug ? Cuddlebug, c'est ssson nom. Elle et moi sssommes inssséparables, vois-tu ! Elle maintient cet endroit parfaitement propre, n'y laisssant jamais sss'insss-taller la moindre bessstiole ! Cuddlebug a-t-elle sssenti quelque chose ? Quelqu'un ssse cacherait-il ici ? Quel-qu'un dont Cuddlebug aimerait ssse régaler, hmm ? Bien ! Je vais prendre ma torche et voir ce qu'il y a à voir !

Ils entendirent des pas qui s'éloignaient. Mignus savait où était rangée la torche : Basil la suspendait à un crochet à côté de la porte du grenier.

– Il sera de retour dans une minute, signala-t-il d'une voix pressante. Qu'est-ce qu'on décide ?

– Il ne faut pas qu'il sache que nous sommes en vie, dit Prudence. Je n'ose imaginer ce qu'il ferait de nous !

– Vite ! ordonna Frank. Reprenons la position que nous avions avant, quand nous étions en plastique ! C'est notre seule chance ! Toi, Mignus, cache-toi derrière nous ! Venez ! Serrons-nous les uns contre les autres !

En trois secondes, ils se regroupèrent. Lady Grant se recroquevilla, la tête dans ses bras ; William s'immobilisa dans l'élan d'une course factice ; Kitty enserra de ses bras un tronc d'arbre imaginaire.

Tous se figèrent dans leur attitude de figurine. Tous, sauf Tinker. Le petit chien, désorienté, gémissait, poussait du museau les mains raidies dans l'espoir de ranimer ses amis humains.

– Attrape-le, Mignus ! dit Frank. Essaie de le faire tenir tranquille !

Mignus le saisit par le collier et le tira près de lui. Il s'accroupit contre le mur, derrière le groupe immobilisé. Refermant sa main sur la truffe de la petite bête, il lui murmura à l'oreille :

–Tu es un bon chien, Tinker ! Sois sage ! Ne fais plus un bruit !

L'animal parut comprendre. Il se coucha tranquillement, le museau sur ses pattes. Il aimait l'odeur du garçon. C'était une odeur très intéressante, *un peu trop imprégnée du relent de ces vilains légumes orange qu'on lui avait fourrés dans la gueule. Mais ce mélange de sueur et de suie, agrémenté d'un soupçon de beignet, oui, une odeur sympathique, vraiment...*

Les pas de Basil revenaient. Un flot de lumière entra par les fenêtres. Une voix bien connue résonna :

–Voyons ce qui intéresssait tant ma délicieuse amie !

Le faisceau lumineux balaya le petit groupe, et Frank recommanda entre ses dents serrées :

–Ne bougez plus un cil !

Par un mince espace entre Lady Grant et William, Mignus pouvait apercevoir la fenêtre. Bien caché dans l'ombre, le garçon se sentait en sécurité, sûr que Basil ne pouvait pas le localiser. Entourant toujours de sa main le museau du chien, il risqua un regard, et vit l'œil énorme de Basil collé contre l'ouverture.

–Bien, bien, bien, siffla celui-ci. Ils sssont là. Un, deux, trois, quatre, cinq, sssix. Tousss dans la bonne position. Non, il en manque un ! Où est le petit chien ? Et le jeune Mignusss ? As-tu été mangé, Mignusss ? Ma délicieuse Cuddlebug t'a-t-elle emporté dans ssson antre, là-haut dans les sssombres poutres ? Non ! En y réfléchisssant, je ne le crois pas. Tu es trop malin, Mignusss, n'est-ce pas ? Et le chien ? Sssans doute êtes-vous ensssemble ! Es-tu disssimulé quelque part avec un animal en plassstique pour unique compagnon ? Que c'est trissste, Mignusss ! Tout ssseul avec un petit chien en plassstique !

L'œil se retira, et la torche s'éteignit, replongeant les lieux dans une semi-obscurité. L'ampoule nue suspendue au plafond du grenier ne répandait qu'une faible lueur.

Loin au-dessus d'eux, la voix de Basil tonna de nouveau :

– Bien ! Je te chercherai demain, Mignusss. On y voit mieux, à la lumière du jour. J'utiliserai ma précieuse pince à épiler pour sssortir toutes mes petites victimes de l'hôtel de ville et les remettre à la bonne place. Et je vous dénicherai, Mignusss, toi et ton petit chien ! Et tu ssseras puni pour avoir déplacé mes figurines ! Persssonne à part moi n'a le droit de toucher à mon insssstallation, Mignusss ! Bonne nuit, cher petit ! Fais de beaux rêves !

On entendit un ricanement, des pas pesants qui s'éloignaient, le « clic » de l'interrupteur. Et la lumière s'éteignit, tandis que la porte du grenier se refermait avec un claquement sourd.

Personne ne bougea. Lorsque le bruit des pas de Basil redescendant le vieil escalier devint presque inaudible, tous abandonnèrent leur pose et se détendirent enfin.

–Nous avons un problème, commença Frank. Pire que le précédent. Il faut cacher Mignus de telle sorte que Basil ne le trouve pas. D'ailleurs, nous devons tous nous cacher. Nos attitudes de figurines ne tromperont pas Basil en plein jour. Le plus important cependant, c'est Mignus. Nous avons besoin de lui, et on sait de quoi ce warlack est capable !

–Nous cacher ? ironisa Lady Grant. Il n'y a pas la moindre cachette ! La table est grande, certes, mais cet immonde personnage aura vite fait d'examiner chaque centimètre du décor !

–De plus, ajouta William, nous ne pouvons pas sortir de cet abri tant qu'il fait nuit. Le monstre nous prendrait en chasse, et ce ne sont pas mes livres qui nous donneront la solution pour lui échapper.

–Nous n'avons nulle part où aller, se lamenta Lady Grant.

Il y eut un long silence. Enfin, Kitty chuchota à l'oreille de Mignus :

–On pourrait faire comme les termites.

–Quoi ?

–Les termites. C'est très difficile de voir des termites.

–Que dis-tu, ma chérie ? demanda Prudence.

Kitty regardait Mignus, attendant visiblement qu'il expose sa proposition aux autres.

– Elle parle de termites, grommela-t-il.

– Les termites ? fit Lady Grant avec irritation. Qu'est-ce que c'est ?

– D'après mon encyclopédie, intervint William sur le ton d'un élève récitant une leçon, les termites sont une race de fourmis. Ils se nourrissent principalement de bois. Ils vivent en colonies. Leur reine pond des œufs, et...

– Oh ! l'interrompit Kip. J'ai saisi !

– Saisi quoi ? s'énerva Lady Grant. Pourquoi parlez-vous de fourmis ?

Kip sourit :

– Pas des fourmis. Des termites. Les termites creusent des tunnels dans le bois. De longs, profonds et tortueux tunnels, où ils vivent invisibles, à l'abri des prédateurs. Dans mon métier, j'ai eu plus d'une fois l'occasion de les observer.

– Quelle horreur ! lâcha Lady Grant d'un air dégoûté. Et en quoi est-ce que ça nous concerne ?

– En tout ! s'exclama Kip.

S'adressant à Kitty, il conclut :

– Tu es une petite fille très maligne !

6. Le tunnel

Ils creusèrent toute la nuit.

Traverser l'épaisseur de contreplaqué se révéla un rude travail. Par chance, la sacoche de Kip et la boîte à outils de Frank contenaient scies, tarières et ciseaux à bois. La tronçonneuse de Kip facilita grandement le percement de la galerie. Les deux ouvriers avaient confié les outils les moins dangereux à William pour qu'il fignole le travail, passant derrière eux.

L'idée avait été de forer le plancher en ouvrant un puits assez large pour que le plus gros d'entre eux puisse s'y faufiler ; ensuite, ils creuseraient un tunnel horizontal.

Dans la section de plancher la plus éloignée de la porte et des fenêtres, Kip découpa d'abord, avec sa scie la plus fine, un carré dans la lamelle supérieure du contreplaqué. Avec un pied de biche, il souleva alors délicatement la mince pièce de bois, qui servirait de trappe. Son travail était si précis que, lorsqu'on replaçait ce couvercle, il était impossible de distinguer la ligne de découpe. Après quoi, les trois hommes commencèrent le forage à grand renfort de scies et de perceuse.

Bientôt, un tas de copeaux s'accumula au bord du trou, et Mignus s'inquiéta :

–Basil finira par les remarquer.

–Il faut les cacher quelque part, dit Prudence. Mais où ?

Ils parcoururent du regard la vaste salle. Il n'y avait pas un centimètre carré de sol qui ne soit pas visible depuis les hautes fenêtres de la façade, sauf, peut-être, l'étroite portion située juste sous leur rebord.

–Si nous entassons les débris ici, le long du mur, suggéra Kip, on a une chance qu'il ne s'aperçoive de rien, à moins qu'il ne démolisse le bâtiment, ce qui paraît peu probable.

Mignus, Kitty, Lady Grant et Prudence, qui jusque-là s'étaient contentés de regarder, avaient maintenant de quoi s'occuper. Ils ramassaient des brassées de copeaux et les déposaient au pied du mur, sous les fenêtres. Entre chaque voyage, Lady Grant brossait soigneusement son élégant tailleur pour en ôter la sciure. Au bout d'un moment, elle finit par y renoncer et cessa de se plaindre.

Cela prit presque toute la nuit avant que le trou soit suffisamment profond pour leur permettre d'entamer le percement du tunnel. Les tas de copeaux transportés par Mignus et ses aides atteignaient presque le rebord des fenêtres.

Frank cessa de creuser pour demander :

– Ce contreplaqué fait quelle épaisseur, Kip ?

– Eh bien, il faut compter trois centimètres pour le plateau de la table, plus un centimètre pour l'épaisseur du plancher, ce qui fait quatre centimètres. Pourquoi ?

– Donc, si ma taille est approximativement de deux centimètres, nous sommes arrivés à un peu plus de la moitié. Ce serait peut-être une bonne idée de continuer jusqu'à percer le fond.

– Percer le fond ? répéta William, perplexe. Mais, si on tombe, on va se tuer !

Frank secoua la tête :

– Non, William, pas si nous faisons attention ! Mon idée est la suivante : on perce le fond du puits – juste un petit trou –, et on se débarrasse par là de la sciure et des copeaux.

– Ce n'est pas bête, approuva Kip. Les débris se disperseront sous la table. Basil ne s'apercevra de rien.

Ils se remirent à attaquer le bois et, une heure plus tard, Kip annonça :

– On y est !

Il fit remonter ses deux compagnons hors du puits, et, avec précaution, fora le trou avec la perceuse. Ce qu'il vit au travers lui donna le vertige. Le plancher du grenier semblait être à des kilomètres au-dessous de lui. Il balaya de la main quelques copeaux et les poussa dans le vide. Il les regarda descendre en tournoyant, et constata avec satisfaction qu'ils se déposaient çà et là sur le lointain plancher. Ainsi dispersés, il seraient indécelables.

–Ça marche ! lança-t-il aux autres, penchés en cercle autour du puits.

–Maintenant, reprit Kip, attelons-nous au creusement du tunnel. Au fur et à mesure, on percera des trous semblables pour se débarrasser des débris de bois ; ça nous alimentera aussi en air frais. Allez ! Au boulot, tout le monde !

Au petit matin, Mignus entendit claquer les grandes ailes de la chauve-souris, loin au-dessus de leurs têtes.

–Elle rentre de la chasse, dit Prudence.

–Où est-elle allée chasser ?

–Dehors. Elle inspecte d'abord le grenier, et avale tout ce qui bouge. C'est pourquoi on n'y trouve plus le moindre insecte. Puis elle s'envole par le carreau cassé et rentre juste avant l'aube.

Prudence regarda sa montre :

–Il est cinq heures. Il va bientôt faire jour.

–Où va-t-elle, maintenant ? s'inquiéta Mignus.

–Elle retourne à son nichoir, dans les poutres. Elle va dormir jusqu'au soir.

Prudence se pencha au-dessus du puits et appela :

–Ho, les gars ! Il va bientôt faire jour. Comment ça marche ?

La tête de William émergea du tunnel. Il était couvert de sciure et semblait exténué.

–Je ne m'en sors pas trop mal, pour un vendeur d'encyclopédies ! Venez donc jeter un œil !

Mignus sauta le premier dans le puits. William s'écarta, et le garçon examina l'intérieur du tunnel. Il aperçut Kip et Frank, tout au fond, encore en train de creuser et râper la paroi de bois. La galerie mesurait bien sept centimètres de long, presque assez pour les abriter tous.

– Génial ! s'écria Mignus avec conviction.

William aida Prudence à descendre.

– Dans combien de temps Basil va-t-il revenir ? demanda-t-il.

– Il se lève toujours tard, dit Mignus. On n'a rien à craindre avant neuf heures.

– On a donc quatre heures devant nous, calcula William. Ça nous donne le temps de creuser encore.

Les trois hommes reprirent le travail. Dès qu'il fit jour, Mignus, Kitty, Prudence et Lady Grant se mirent en quête de nourriture. Mignus les conduisit à l'endroit où il avait trouvé Frank, et ils remplirent le sac de Lady Grant de miettes de beignets. La dame commença par protester : ce n'était pas un sac à provisions, mais un article en cuir fait main, fabriqué à Rome, en Italie, une création exclusive, qui lui avait coûté un prix fou ! Prudence interrompit ses récriminations :

– Allons, ma chère, nous avons d'autres soucis.

Lady Grant rosit et ne souffla plus mot. Elle suivit docilement les autres le long de la voie de chemin de fer qui menait au château d'eau.

Frank avait donné un seau en plastique à Mignus. Le garçon escalada l'échelle accédant au sommet de la tour et plongea le seau dans l'eau. En redescendant, il le passa à Prudence et sauta les derniers échelons.

–On aura de quoi boire pendant un moment, estima la vieille dame.

Ils retournèrent vite à l'hôtel de ville. À l'intérieur, les hommes faisaient la pause. Ils étaient en sueur, couverts de poussière, et ils mouraient de soif. Le seau d'eau fut le bienvenu. Tous burent et mangèrent. Dès qu'ils eurent fini leur repas, Mignus prit un morceau de carotte dans le sac en papier. Il découpa de fines lamelles et en donna une à chacun.

–Pourvu que ça marche, fit William en gobant sa rondelle.

Frank déclara :

–Il est huit heures et demie. Mettons-nous à l'abri, c'est plus prudent.

L'un après l'autre, ils se laissèrent tomber au fond du puits. Kip passa le dernier, portant Tinker qui protestait avec des aboiements indignés. Il tira le couvercle de contreplaqué au-dessus de sa tête, le remettant exactement en place :

–Espérons que Basil ne remarquera rien.

–Je n'ai jamais vu de découpe aussi précise, lui assura Frank. Et l'intérieur de l'hôtel de ville est plutôt sombre. Même avec sa torche, ça m'étonnerait que Basil puisse détecter quoi que ce soit.

Mignus s'était attendu à se retrouver dans le noir complet, une fois la trappe refermée. Mais le petit trou creusé au fond du puits laissait passer un peu de lumière, révélant l'entrée du tunnel.

À quatre pattes, ils s'enfilèrent à la queue leu leu dans l'étroit boyau, qui mesurait déjà huit centimètres de long, assez pour leur permettre d'y tenir tous en restant accroupis. Au bout, un deuxième trou dans le sol donnait suffisamment de clarté pour qu'ils se voient.

–Et maintenant ? fit Lady Grant.

–Maintenant, répondit Frank, on attend.

Ils n'eurent pas à attendre longtemps. Un pas lourd ébranla bientôt l'escalier menant au grenier. Puis la porte grinça, et la voix de Basil, étouffée par l'épaisseur du contreplaqué, siffla au-dessus de leurs têtes :

–Bonjour, Mignusss ! J'essspère que tu as bien dormi, cher enfant, et que ma douce Cuddlebug ne t'a pas dévoré. Mais tu es malin, je le sssais ! Tu es ressté bien caché ! J'ai apporté ma pince à épiler, vois-tu. Et, dès que j'aurai remis mes petites victimes ssspéciales à leur place, je m'occuperai de toi. En quoi vais-je te transssformer, sssale et désobéisssante créature ? En insssecte, peut-être ? Oui, en une dégoûtante sssaleté d'insssecte ! Qu'en pensssses-tu, Mignusss ?

Le garçon frissonna, et Prudence passa un bras autour de ses épaules.

–Ne l'écoute pas, chuchota-t-elle. Il ne te transformera en rien du tout. Nous ne le laisserons pas faire.

Mignus ne voyait pas comment ils pourraient empêcher Basil de faire quoi que ce soit. Mais c'était gentil à Prudence de tenter de le rassurer. Il se rappela alors une chose dont elle avait parlé la veille, et un embryon d'idée commença à germer dans sa tête. Il n'en dit rien, c'était encore trop confus.

La voix, devenue furieuse, fit soudain vibrer leur abri :

–QUE SSS'EST-IL PASSSÉ ? OÙ SSSONT-ILS, TOUSSS ?

Pourtant, dans ce rugissement de colère, Mignus perçut une légère note d'incertitude, comme si, pour la première fois au cours de sa diabolique existence, Basil se heurtait à un événement qu'il ne contrôlait pas.

–Mignusss ! Essspèce de vermine ! Qu'as-tu fait de mes petites victimes de plassstique ? Où les as-tu mises, hein ? Pourquoi les as-tu encore déplacées ? Oh, je vais les retrouver, tu peux me croire ! Elles ne peuvent pas être parties bien loin, avec leurs jambes raides ! Toi non plus, d'ailleurs ! Et quand je te mettrai la main desssus... Un insssecte, oui ! Je te changerai en insssecte. En cafard, par exemple.

Les pas de Basil s'éloignèrent tandis qu'il faisait lentement le tour de la grande table. Parfois, le bois craquait comme s'il s'appuyait dessus. Quand sa hanche heurta le plateau, une secousse pareille à un tremblement de terre ébranla le tunnel. Puis les pas se rapprochèrent :

– Tu es un petit malin, Mignusss. J'ai regardé dans tous les coins, et je n'ai pas trouvé trace de mes petites victimes. Elles ne sssont pas sssur la table, et n'ont pas pu tomber desssous. Toi non plus. Je sssuis impresssionné, Mignusss ! Sssi, sssi ! Je sssuis ausssi très en colère. Très ! Et sssais-tu ce qui ssse passse lorsssque je sssuis en colère ? Le sssang des gens ordinaires sss'échauffe. Pas le mien. Le mien devient froid, ausssi froid qu'un iceberg. Sssens-tu ce froid, Mignusss ?

Mignus frissonna de nouveau ; pas de peur, cette fois. Un courant d'air glacial montait par le trou, balayant le tunnel. Il regarda ses compagnons, blottis dans la demi-obscurité : de petits nuages de vapeur sortaient de leurs bouches.

– Que se passe-t-il ? chuchota Lady Grant.

Prudence commençait déjà à claquer des dents.

– C'est Basil, expliqua-t-elle. Il produit du froid.

– On ne résistera pas longtemps, dit Frank en serrant sa veste autour de lui. On va mourir gelés.

– La température doit être encore plus basse à l'extérieur, observa Kip. Le bois est un bon isolant.

– Je ne me trouve guère isolé, moi, fit remarquer William. Je ne sens déjà plus mes os.

Tinker gémissait doucement. Une mince pellicule de glace se formait sur sa truffe humide. *Et c'était mauvais signe, très mauvais signe. Qu'allait devenir son flair si sa truffe se transformait en glaçon ?* Il se coucha en rond et fourra son museau contre la veste de Mignus. *Ah, c'était mieux. Mais il avait froid aux pattes.* Il les ramena sous son ventre et se blottit plus près du garçon si odorant.

Mignus sentait la petite Kitty grelotter à son côté. Il se demanda si ses larmes allaient geler.

Au bout d'un moment, le courant d'air glacé cessa de souffler par le trou. Peu à peu, la température redevint normale.

La voix de Basil retentit alors :

–Tu as eu froid, Mignusss ? Eh bien, demain, ce sssera pire ! C'était jussste un avant-goût, vois-tu. Oui, demain, ce sssera dix fois pire, et ça durera dix fois plus longtemps. Et tu gèleras, Mignusss ! Tu deviendras aussi dur qu'un cube de glace. Et tu en mourras. À moins que tu ne remettes mes petites victimes là où tu les as trouvées. En ce cas, je ne te changerai pas en glaçon, mais simplement en cafard, en une sssaleté de petit cafard, et tu parcourras cette table sssur tes petites pattes tant que tu voudras. Du moins, tant que ma douce Cuddlebug te laisssera courir. Que préfères-tu, Mignusss ? Mourir de froid ou vivre comme un cafard ? À ta place, je sssais ce que je choisirais ! Tu connais le dicton,

Mignusss ? « Tant qu'il y a de la vie, il y a de l'essspoir. » Penssses-y, et fais le bon choix ! À demain, Mignusss !

Tous entendirent le lourd « poum poum » des pas de Basil traversant le grenier, le grincement de la porte, le « poum poum » s'éloignant jusqu'au bas de l'escalier, puis plus rien.

Dans le tunnel, il y eut un long silence. Enfin, Mignus lâcha :

– Je suis désolé.

– Pourquoi ? s'étonna Prudence.

– Pour tout. Pour vous avoir mis en danger.

– Tu n'as pas à t'excuser, Mignus, dit Frank en posant ses mains sur les épaules du garçon. Basil a raison sur un point : tant qu'il y a de la vie, il y a de l'espoir. Tu nous as rendu la vie, et tu nous as rendu l'espoir.

– Et nous avons vingt-quatre heures devant nous pour trouver une idée, renchérit Kip.

– On pourrait boucher les trous ? suggéra William. Si, comme tu dis, le bois est un bon isolant...

Kip secoua la tête :

– Pas assez pour lutter contre un froid pareil ! Rappelez-vous que l'épaisseur totale n'est que de quatre centimètres. Et nous l'avons creusé, si bien qu'il reste environ un centimètre et demi au-dessus et au-dessous de nous. Ça ne nous protégerait pas longtemps.

– Et, si nous bouchons les trous, nous manquerons vite d'air, signala Frank.

– Ce que je ne comprends pas, intervint Lady Grant, c'est pourquoi cette immonde créature ne nous a pas congelés tout de suite. Pourquoi attendre demain ?

– Je suis presque sûre, dit pensivement Prudence, que Basil ne peut lancer qu'un seul sort important par jour. Un sort de congélation aussi puissant doit consommer beaucoup d'énergie.

– Vous vous y connaissez, en sortilèges ? demanda Frank. Vous savez comment ça fonctionne ?

– Hélas, non ! Tout cela n'est que théorie. Mais, d'après mes observations, il semble que les capacités des enchanteurs, des magiciens et des warlacks aient leurs limites. Il faut une grande maîtrise de ses pouvoirs pour abaisser la température d'une pièce de cette taille au-dessous de zéro. De plus, Basil veut que Mignus nous remette à nos places. Or, s'il est congelé, il en sera incapable.

Mignus réfléchissait.

L'idée qui lui était venue un moment plus tôt commençait à prendre tournure. La veille, Prudence avait évoqué la possibilité de « retourner le sort ». Autrement dit, de le renvoyer à l'expéditeur. Si c'était vraiment réalisable, peut-être que...

Mignus prit une grande inspiration. Puis il se lança :

–Il faut laisser Basil me transformer en cafard.

–Quoi ? s'exclama Lady Grant, abasourdie. Comment le laisserions-nous faire une chose pareille ?

–Non, Mignus, non ! protesta Frank. Il n'en est pas question.

–D'ailleurs, continua Lady Grant avec un frisson, je déteste les cafards. Ce sont des bêtes immondes.

Mignus se tourna vers Prudence :

–Écoutez, si votre hypothèse est bonne, nous avons une chance de nous en sortir. C'est risqué, mais ça peut marcher. De toute façon, je ne vois pas d'autre solution.

Et il leur exposa son plan.

7. La riposte

Cela ne leur prit que dix minutes pour atteindre la petite maison la plus proche du bord du lac.

Ce n'était qu'une cabane en rondins, enfouie dans l'ombre des arbres. À l'intérieur, ils tenaient à peine, tous les sept, dans la pièce exiguë. La fenêtre était bien trop étroite pour que la chauve-souris puisse y passer une patte. De plus, les murs étaient solidement construits, et résisteraient aux attaques du monstre, s'il découvrait leur cachette.

Maintenant qu'ils avaient un abri pour la nuit, Mignus mena le petit groupe jusqu'à la rive. Le lac avait beau n'être qu'un morceau de miroir à la découpe irrégulière, incrusté dans l'épaisseur de la table, il donnait vraiment l'illusion d'une pièce d'eau naturelle au cœur de la forêt. Les berges, tout autour, étaient faites de toile émeri peinte en vert, imitant l'herbe à la perfection.

Kip et Frank se mirent au travail. À l'aide de pieds-de-biche, ils entreprirent d'extraire le miroir de son cadre, en prenant grand soin de ne pas fêler la mince plaque de verre. Il leur fallut un bon moment pour introduire petit à petit les têtes plates des leviers sous le rebord du miroir. La journée était bien avancée quand ils donnèrent une dernière pression. Avec un craquement, l'un des bords se descella, et la surface du miroir s'inclina un peu.

Tous, à l'exception de Mignus, vinrent leur prêter main-forte.

–Attention ! cria Kip. Prêts ? Tirez !

Ils bandèrent leurs muscles, et soulevèrent d'un demi-centimètre un côté du miroir.

C'était suffisant. Mignus rampa jusqu'à l'ouverture et glissa son corps maigre dans l'étroit espace entre la surface de verre et le bois de la table.

Tinker, croyant à un nouveau jeu, voulut le suivre, et le garçon le repoussa gentiment :

–Non, Tinker ! Sors de là, sois gentil !

Presque aussitôt, Mignus reprit pied sur la berge :

–C'est bon, j'aurai assez de place.

Avec un soupir de soulagement, le petit groupe reposa le miroir.

–Ça devrait marcher, dit Frank.

–Tu vas courir un risque insensé, mon petit, s'inquiéta Prudence. Ce n'est qu'une théorie, rappelle-toi. Ça pourrait très mal tourner.

Mignus lui sourit d'un air crâne. En réalité, sa propre idée le terrifiait. Mais c'était la seule chose à tenter.

Ils devaient maintenant tailler plusieurs pièces de bois. Kip abattit un petit sapin avec sa tronçonneuse, l'ébrancha, le découpa en blocs d'un centimètre de long, qu'il fallut porter sur la rive du faux lac. Mignus s'absorba dans cette tâche pour oublier sa peur. Les hommes soulevèrent de nouveau le bord du miroir, avec l'aide de Prudence et de Lady Grant, tandis que Mignus et Kitty déposaient trois tronçons de bois sous la surface de verre.

–C'est bon ! fit Kip.

Avec précaution, ils abaissèrent le miroir, qui s'appuya sur les cales. Ils disposèrent alors les autres blocs pour consolider le tout, jusqu'à ce que Kip se déclare satisfait de la solidité de l'installation.

–Vous êtes sûrs que Basil ne s'apercevra de rien ? s'inquiéta Prudence.

–Vue de haut, dit Kip, l'inclinaison doit être à peine décelable.

–Espérons qu'il n'y regardera pas de trop près, murmura William.

–Espérons qu'il ne regardera que moi, ajouta Mignus.

–Oh, mon cher petit, soupira Prudence, je me fais beaucoup de souci pour toi !

Ils retournèrent à la cabane alors que le jour baissait derrière la lucarne du grenier. Ils entrèrent dans la petite pièce, fermèrent la porte et s'assirent par terre.

–Il me vient une idée, dit William, une petite idée à la mesure de mon petit cerveau.

Il s'adressa à Prudence et à Lady Grant :

–L'une de vous, mesdames, a-t-elle du parfum dans son sac ?

Prudence secoua la tête :

–Je n'utilise jamais ces trucs-là.

–J'en ai, moi, répondit Lady Grant. Pourquoi ?

–J'aimerais essayer quelque chose. J'ai lu dans un de mes

livres que le flair des animaux est perturbé par certaines odeurs. Si nous nous aspergeons de parfum, et si nous en vaporisons cette pièce, la chauve-souris nous laissera peut-être tranquilles.

– Ça vaut le coup d'essayer, admit Frank.

Lady Grant fouilla dans son sac et en tira une fiole carrée munie d'un vaporisateur. Elle l'épousseta pour en faire tomber des miettes de beignets et déclara :

– C'est *Jolie Femme*, un parfum de grand prix, mon préféré. J'espère que vous n'allez pas vider le flacon.

– Lady Grant, lui promit William de son air le plus jovial, si nous sortons de ce pétrin, je vous en offrirai une caisse !

La dame eut un petit sourire :

– C'est très aimable à vous. Mais j'ai peur que vous n'en ayez pas les moyens, monsieur O. Durham.

William rit, prit le flacon et commença à asperger les murs, le tour de la fenêtre, la porte, et même Tinker. La petite bête éternua et se frotta le museau avec sa patte. *Merci bien ! Vraiment, voilà le type de puanteur que déteste tout chien qui se respecte !*

William vaporisa alors le reste du parfum sur les vêtements des uns et des autres, et particulièrement sur ceux de Mignus, dont l'odeur était la plus forte.

– As-tu déjà vu une baignoire, gamin ? plaisanta-t-il en aspergeant sa chemise crasseuse.

–Avez-vous déjà vu la baignoire de Basil Tramblebone ? répliqua Mignus en fronçant le nez. Si vous l'aviez vue, vous n'auriez pas pris plus de bains que moi !

La nuit tomba. Bientôt, ils entendirent le *flap flap flap* des grandes ailes de la chauve-souris. La bête survola un moment la cabane, descendant de plus en plus bas. Un choc sourd annonça qu'elle s'était posée, un bruissement signala qu'elle atteignait l'orée de la forêt.

–Elle arrive, chuchota Kitty.

Ils se blottirent les uns contre les autres, retenant leur souffle.

Il y eut au-dehors un bruit de reniflements, suivi de trois brefs éternuements. L'instant d'après, ils perçurent une sorte de brusque coup de vent, puis le *flap flap flap* qui s'éloignait.

–Elle n'a pas aimé ça, fit remarquer Frank. Bravo, William ! C'était une bonne idée.

–Oui, approuva Lady Grant, une très bonne idée ! Coûteuse, mais excellente.

–Avec un peu de chance, reprit Frank, la bête ne reviendra pas.

Cette nuit-là, ils dormirent profondément. Seul Mignus resta éveillé pendant les heures les plus noires, pensant au lendemain et à ce qui l'attendait : soit la mort par congélation, soit une courte vie de cafard ; à moins que, si tout se passait comme il l'espérait…

Il s'endormit enfin, juste avant l'aube. Presque tout de suite – à ce qu'il lui sembla – Frank le secoua :

– C'est l'heure, Mignus. Tu es sûr de vouloir le faire ?

Le garçon hocha la tête. Il n'était sûr de rien, mais il n'avait pas le choix. Prudence le serra sur son cœur, Lady Grant posa un baiser en l'air à côté de sa joue, et Kitty fondit en larmes. Les trois hommes lui donnèrent une poignée de main virile.

– Quoi qu'il arrive, sache que nous pensons très fort à toi, lui assura Frank.

– Tu es un gars courageux, le félicita Kip.

– Mets-lui la pâtée ! lança William.

Mignus déglutit avec angoisse. Dans quoi s'était-il embarqué ? Il regarda leurs visages inquiets. Tous comptaient sur lui. Il était trop tard pour reculer.

– J'y vais, déclara-t-il d'une voix ferme.

Il sortit de la cabane et entendit la porte se refermer derrière lui. Il marcha entre les arbres jusqu'au bord du lac-miroir. Il était dans la position où ils l'avaient laissé la veille au soir, légèrement relevé d'un côté, ce qui ménageait un espace d'un bon demi-centimètre entre la surface de verre et le fond de contreplaqué. Mignus essaya d'imaginer ce qu'on percevait d'en haut. L'angle d'inclinaison était infime. Si Basil n'y regardait pas de trop près, il ne remarquerait rien.

Mignus s'assit sur la fausse herbe de la rive, et il attendit. Il se sentait très seul, affreusement nerveux, et terriblement vulnérable. Son estomac faisait des nœuds, et sa bouche était sèche comme du carton.

Les secondes s'écoulèrent, puis les minutes. Une heure passa : Basil ne se montrait pas. Mignus se prit à espérer qu'il ne viendrait plus. Peut-être avait-il quitté la maison pour toujours ? Peut-être était-il mort dans son sommeil ? Peut-être avait-il...

Poum ! Poum ! Poum ! Basil montait l'escalier. Mignus sauta sur ses pieds, tout tremblant. Ses genoux s'entrechoquaient et il lui sembla soudain que toute force l'abandonnait. Il obligea ses jambes flageolantes à le porter jusqu'au miroir et fixa la lointaine porte du grenier pour affronter l'horreur qui approchait.

La porte s'ouvrit, et Basil entra. Il était immense, haut comme une tour, le visage encore plus blanc, le regard encore plus froid qu'à l'ordinaire. De longues mèches noires et grasses pendaient sur son front blême comme si, dans sa hâte à prendre sa revanche, il avait oublié l'usage du peigne. Mignus, immobile, le regarda avancer, attendant qu'il le voie.

Et Basil le vit. Souriant de son effroyable sourire, il

contourna la table pour être le plus près possible du garçon, appuya ses mains cireuses sur le rebord et inclina son énorme tête :

–Ainsssi, te voilà, Mignusss ! Tu ressspires l'air frais du matin ? Rien de meilleur pour la sssanté qu'une petite promenade dans les bois, n'est-ce pas ? Voyons, laissse-moi réfléchir. Que voulais-je faire de toi ? Ah oui ! Te transssformer en glaçon, c'est bien cela ?

Mignus fut pris au dépourvu. « Ce n'est pas ce qui était prévu ! Et l'autre sort ? La métamorphose ? »

Réfléchissant à toute vitesse, il lança :

– Congelez-moi si vous voulez, ça m'est égal ! Mais surtout ne me changez pas en cafard !

– Ai-je bien entendu ? NE me changez PAS ? Perssssonne ne dit à Basil ce qu'il doit faire ou NE PAS faire !

– Faites ce que vous voulez ! reprit Mignus. Mais, je vous en supplie, ne me changez pas en cafard !

– Encore ce NE PAS ? tonna Basil. C'est donc ce qui t'effraie le plusss, Mignusss ? D'être transssformé en cafard ?

– Oui ! Oh oui ! Pas ça, monsieur ! Je ne le supporterai pas !

– Tu ne le sssupporteras pas, hein ? Puisssque c'est ainsssi, mon cher enfant, cafard tu ssseras ! Ssssurtout ne bouge pas, Mignusss !

Sa ruse avait réussi ! Malgré sa terreur, Mignus ne put s'empêcher de ressentir une certaine satisfaction. La folie de Basil avait dû détraquer son intelligence.

Le warlack se pencha vers le garçon. Ses yeux de poisson s'étrécirent. Mignus concentra sur eux toute son attention. Dès qu'il vit luire une flamme verte au fond des prunelles noires, il plongea, se jetant souplement à l'abri sous le côté surélevé du faux lac.

Basil suivit du regard le mouvement, aussi rapide qu'inattendu, du garçon, si bien qu'à l'instant où jaillissaient de ses yeux les deux traits de lumière verte, son visage se reflétait dans le miroir. Les rayons verts frappèrent la surface réfléchissante et rebondirent, à la vitesse de la lumière, droit dans les pupilles de Basil. Il poussa un hurlement – de peur ou de douleur, Mignus n'aurait su dire. Il y eut ensuite un grésillement, semblable à celui du lard en train de frire dans une poêle. Mignus se recroquevilla un peu plus. Il se passait quelque chose… Mais quoi ?

Le grésillement s'éteignit.

Puis on entendit un curieux tapotement, ou peut-être un cliquètement, qui paraissait venir de très loin. Mignus rampa prudemment hors de sa cachette. Il regarda autour de lui. Basil n'était plus là, il avait disparu, comme s'il n'avait jamais existé. Tout était silencieux, à part ce léger tapotement-cliquètement.

Les arbres empêchaient Mignus de repérer l'endroit d'où provenait le bruit. Il n'y avait qu'une façon d'en avoir le cœur net : jetant son dévolu sur un sapin aux branches régulières, Mignus grimpa jusqu'à sa cime. Il se félicita d'avoir choisi l'arbre le plus grand, car, de là-haut, il dominait la forêt et découvrait tout le décor de la grande table.

Et ce qu'il vit lui glaça les sangs

Tout là-bas, agrippé au rebord de la table par ses deux pattes de devant, il y avait un cafard, noir, énorme, d'au moins dix centimètres de long. Ses antennes s'agitaient en tous sens tandis qu'il tentait désespérément de grimper sur la table. Mignus écarquilla les yeux, horrifié. La hideuse

créature, dans un dernier effort, réussit à hisser son long corps sur le plateau de bois. Une fois en sécurité, elle s'immobilisa un moment, tâtant l'air de ses antennes comme pour s'orienter. Elle prit alors la direction de la forêt, marchant droit vers l'arbre où s'accrochait Mignus.

Le garçon dégringola de son perchoir aussi vite qu'il put, fonça vers la cabane et ouvrit la porte à la volée :

–Vite ! Il faut partir d'ici ! Il arrive !

–Qui arrive ? demanda Frank. Est-ce que ça a marché ?

–Oui ! s'étrangla Mignus. Ça a marché ! C'est bien le problème ! Venez, il n'y a pas une minute à perdre !

–Où faut-il encore aller ? grommela Lady Grant, visiblement peu décidée à quitter son coin, au fond de la cabane.

–On retourne au tunnel ! cria Mignus. C'est le seul endroit où on sera en sécurité. Vite !

–Je préfère rester ici ! se braqua Lady Grant.

–À voir la tête de Mignus, intervint Frank, il y a urgence ! On ferait mieux de faire ce qu'il dit.

Il y avait une telle autorité dans sa voix que tous se pressèrent de sortir sans ajouter un mot et suivirent Mignus au pas de course sur le chemin menant à l'orée de la forêt. Sa boîte à outils serrée sous le bras, Frank rattrapa le garçon.

–Que fuyons-nous ? haleta-t-il.

Mignus lui décrivit la situation en deux mots. Frank hocha la tête et lança aux autres :

–Plus vite !

Il s'en fallut de peu ! L'insecte géant avait été retardé par l'épaisseur de la forêt. Finalement, il l'avait contournée et progressait rapidement vers la ville, tandis que Mignus et ses compagnons, filant entre les arbres, quittaient le bois et gagnaient les faubourgs. Ils dépassaient les premières habitations quand ils entendirent des pas derrière eux. Personne n'osa se retourner, le bruit produit par la créature était bien trop terrifiant. Ils continuèrent leur course folle le long des rues désertes, Prudence en dernier, suant et soufflant. Soudain elle trébucha, et manqua tomber. Mais Kip vint la soutenir de sa grosse main. Trop épuisée pour parler, la vieille dame le remercia d'un signe de tête, et ils se remirent à courir, prenant les virages à la corde, les poumons en feu.

Enfin, ils atteignirent le parc. L'hôtel de ville était juste derrière. Ils croisèrent un petit groupe de promeneurs en plastique, dépassèrent la statue, tandis que l'affreux cliquètement se rapprochait. Mignus jeta un coup d'œil par-dessus son épaule : le cafard surgissait au coin du parc. Il vit la créature foncer entre les figurines, les envoyant valdinguer de droite et de gauche. Elle saisit l'une d'elles – un garçon de l'âge et de la taille de Mignus – entre ses mandibules. Les puissants maxillaires se refermèrent avec un horrible craquement et brisèrent le personnage par le milieu. Secouant le haut de son corps à la manière d'un chien qui s'ébroue, le monstre balança d'un côté et de l'autre les deux morceaux, qui rebondirent sur la fausse herbe en papier de verre.

Mignus en fut glacé d'effroi. Le cafard avait choisi cette

figurine pour montrer sa force, pour signifier au garçon : *« Voilà ce que je ferai de toi, Mignus, quand je t'attraperai ! »*

–Vite, Mignus ! le pressa Frank.

Le garçon se détourna du terrible spectacle et galopa vers l'hôtel de ville. Arrivé devant la porte, il sentit des mains amies le tirer à l'intérieur. Ces mêmes mains repoussèrent le battant, qui se referma sourdement derrière lui.

Les yeux exorbités, Lady Grant surveillait par une fenêtre l'approche du monstre :

–Quelle est cette chose immonde ? fit-elle, hors d'haleine.

–C'est Basil, souffla Mignus. Et il est furieux.

–Venez ! appela Frank. Réfugions-nous dans la galerie. Nous ne sommes pas en sécurité, ici.

Il conduisit tout le monde vers le puits au moment où le cafard géant escaladait les marches de l'hôtel de ville.

Ils se pelotonnèrent au fond du tunnel.

–Que s'est-il passé, Mignus ? voulut savoir Frank, une fois qu'ils furent installés.

–Quand le sort l'a frappé, expliqua Mignus, Basil s'appuyait sur la table. Il n'est donc pas tombé sur le plancher comme je l'espérais. Ses mains changées en pattes d'insecte sont restées accrochées au rebord, et il a réussi à se hisser.

Il se tut et observa les visages tendus fixés sur lui :

—Je suis désolé. Notre situation est plus dramatique que jamais, j'en ai peur!

—Je ne le pense pas, intervint Prudence. Je préfère avoir à lutter contre un insecte, même géant, que contre Basil.

—Moi aussi, dit William. Ne serait-ce qu'à cause de la taille. Un cafard de dix centimètres, c'est redoutable. Mais un Basil grandeur nature, c'est pire!

Frank sourit à Prudence :

—En tout cas, votre théorie s'est vérifiée!

La warlackologiste semblait pourtant soucieuse.

—Je viens de me rappeler quelque chose, dit-elle avec lenteur. Voyez-vous, cette théorie comporte une deuxième partie.

—Une deuxième partie? répéta Frank.

—Oui. Il est généralement admis qu'un sort renvoyé perd un peu de sa puissance.

—Ce sort-là ne semble pas avoir perdu quoi que ce soit, objecta Frank. Basil voulait changer Mignus en cafard, et c'est lui qui s'est transformé. Le procédé a été efficace. Certes, nous pensions qu'il serait moins gros, cependant...

Prudence secoua la tête :

—Ce n'est pas une question d'efficacité, mais de durée. Un sort renvoyé ne fonctionne – à ce qu'on croit savoir – que vingt-quatre heures environ. Passé ce délai, l'effet se dissipe.

–Parfait ! s'écria Frank avec un sourire. Ça nous donne le temps de nous organiser !

Puis son sourire s'effaça parce qu'un fracas de bois qui éclate, de plâtre tombant par morceaux et de briques qui s'écroulent retentit au-dessus de leurs têtes.

–Qu'est-ce qui se passe encore ? s'alarma Lady Grant.

–Il traverse l'hôtel de ville, dit Frank.

–Un vrai bulldozer ! commenta William.

–Il va tout casser ! balbutia Lady Grant.

–Je ne pense pas, la rassura Kip. Le contreplaqué, c'est solide.

Il y eut alors un grattement, et un rayon de lumière éclaira l'entrée du tunnel.

–Il a soulevé la trappe ! chuchota le menuisier.

Une ombre obscurcit leur refuge. Une sorte de longue baguette noire hérissée de poils pénétra dans le puits et se mit à tâtonner, comme si elle cherchait l'entrée de la galerie.

–Qu'est-ce que c'est que *ça* ? s'affola Lady Grant.

–Une de ses pattes, dit Frank. Aplatissez-vous contre la paroi !

Ils se tassèrent tout au fond de leur abri. Une griffe recourbée trouva l'entrée, et la patte s'y faufila en se tortillant, comme un hideux serpent velu. Puis l'odeur leur parvint, l'odeur rance et âcre du cafard. La griffe progressait lentement, éraflant le bois.

Kitty poussa un cri strident.

– Tout va bien, la réconforta Prudence en l'entourant d'un bras maternel. Il ne peut pas nous atteindre.

Mignus aurait aimé la croire. Rien ne semblait pouvoir stopper l'avancée de la griffe, qui se balançait, de plus en plus près. Elle s'arrêta à un centimètre à peine des corps serrés les uns contre les autres. Longuement, méticuleusement, elle explora de haut en bas les parois de la galerie. Soudain, elle renonça. En se retirant, la patte du cafard écorna l'angle du puits, et des éclats de bois retombèrent en pluie.

– On l'a échappé belle, souffla Frank.

– Oui, approuva Kip. Mais le tunnel n'est pas assez long. Il faut continuer à creuser.

Les trois hommes reprirent leurs outils. La sciure et les copeaux s'entassèrent bientôt sur le sol. Mignus, Prudence et Kitty les balayaient vers le trou le plus proche. Lady Grant ne leva pas le petit doigt pour les aider. Elle fixait l'entrée du tunnel, les yeux emplis d'effroi.

Ils travaillèrent pendant plusieurs heures, allongeant la galerie de trois bons centimètres.

– Ça ira pour le moment, déclara Kip, le visage couvert de sueur et les cheveux gris de poussière.

– On ferait bien de forer une autre ouverture dans le sol, suggéra Frank. Sinon, on va manquer d'air.

Kip se mit aussitôt à l'ouvrage. Cinq minutes plus tard, il avait percé le contreplaqué et agrandi le trou juste ce qu'il fallait. Risquant un œil au travers, il s'écria :

– Hé ! Regardez ça !

– Qu'as-tu vu ? demanda Frank.

– On dirait un câble électrique. C'est ton rayon, Frank. Qu'en penses-tu ?

Kip se poussa pour laisser la place à Frank.

– Tu as raison, approuva celui-ci. C'est l'un de ceux que j'ai posés. Il passe juste en dessous. Ça me paraît être la ligne principale, qui relie la boîte de contrôle aux rails. Je devrais pouvoir l'atteindre.

Il se mit à plat ventre et passa son bras par le trou :

– Ouais ! Il est à portée de main !

Kip lui tapota l'épaule :

– Tu dis qu'il est raccordé à la boîte de contrôle ?

– Ouais !

– Et ce boîtier, il est en acier ?

– Ouais, en acier ! Vissé au plateau de la table.

Kip réfléchit un instant, puis déclara gravement :

– C'est là qu'il faut se réfugier. Dans une boîte en acier. Ni la chauve-souris ni le cafard ne pourront nous en déloger.

– Encore fuir ! gémit Lady Grant. On est à l'abri, ici, non ?

Malgré tout, elle ne quittait pas des yeux l'entrée du tunnel.

Elle avait à peine fini de parler que la patte noire réapparut au fond du puits. Cette fois, elle ne fit aucune tentative pour les attraper. Elle enfonça profondément sa griffe dans l'angle que formait le conduit vertical avec le tunnel, et elle tira. Au début, le bois résista. Puis il éclata. La patte se retira, emportant une parcelle de contreplaqué. Deux secondes plus tard, elle revenait. De nouveau, elle arracha un éclat de bois.

– Elle agrandit le passage, signala Frank. Je ne savais pas les cafards si malins.

– Celui-ci n'est pas un cafard ordinaire, intervint Prudence. Il raisonne avec le cerveau de Basil. Et, si Basil est fou, il n'est pas idiot !

Kip prit les petites mains de Lady Grant entre ses grosses mains noires et la regarda bien en face.

– Sommes-nous toujours en sécurité ici, à votre avis ? demanda-t-il avec douceur.

– Non, monsieur Lovell, murmura Lady Grant. Plus maintenant.

Ils élargirent le trou à leurs pieds, tâchant d'ignorer le bruit du bois qui éclatait derrière eux. Le câble était suspendu un centimètre plus bas environ. Dès que l'ouverture fut assez large, Frank annonça :

– C'est moi qui ai conçu cette installation. C'est à moi d'y aller le premier.

Personne ne protesta. Frank laissa pendre ses jambes dans le vide :

– C'est bon. Je le touche du bout de ma chaussure. Tenez-moi, les gars, que je puisse poser les pieds.

Kip et William le saisirent par les poignets et le firent descendre lentement.

– J'y suis ! Vous pouvez me lâcher. Je vais me mettre à quatre pattes.

Ils obéirent, et Frank disparut tout à fait.

– Tout va bien ! lança-t-il. Envoyez-moi d'abord les enfants !

Kip et William firent passer Mignus par l'ouverture. Le garçon sentit deux mains attraper ses chevilles.

– Je te tiens, mon garçon, dit une voix rassurante. Tu y es presque. Encore un petit peu…

Les pieds de Mignus touchèrent du solide. L'instant d'après, il était allongé sur une surface courbe, lisse et noire. Frank, à genoux près de lui, lui recommanda :

– Ne regarde surtout pas vers le bas, Mignus ! Si tu suis mon conseil, tu ne risques rien.

Mignus ne put s'en empêcher ; sa curiosité était plus forte que sa peur et il jeta un regard du côté du vide. Alors, il ferma les yeux, pris de vertige. Le sol était à une telle

distance que
sa position sur le câble
paraissait bien précaire. Il s'aplatit
autant que possible, les doigts crispés sur
le caoutchouc dur.

–Recule-toi un peu, Mignus, lui dit Frank. Il faut faire de la place aux autres.

Le garçon obéit avec mille précautions. Il ne risquait guère de tomber, car le câble était épais, solide, et presque aussi large qu'un lit. Mais, perturbé par la courbure, Mignus s'appliqua à rester bien au milieu, plaquant ses bras et ses jambes sur les côtés.

L'opération prit un bon moment, ponctuée par les cris de terreur de Lady Grant. Tous finirent cependant par se retrouver à plat ventre sur le câble. Prudence avait fourré

Tinker sous son vieil anorak et remonté la fermeture éclair, de sorte que seule la tête du petit chien en dépassait. Kip descendit le dernier, sa sacoche à outils et sa tronçonneuse solidement accrochés à sa grosse ceinture de cuir :

– Ce serait trop bête de les laisser, on pourrait en avoir besoin. C'est bon, Frank, on te suit !

Frank ordonna :

– Chacun tient la cheville de celui ou de celle qui le précède, et on avance tout doucement.

Ils progressèrent le long du câble, suspendu au-dessus d'un abîme vertigineux. Au fur et à mesure, le bruit du bois éclatant par morceaux s'affaiblissait. Leurs têtes frôlèrent bientôt le dessous de la table. Quand Frank sentit contre son dos le contact du contreplaqué, il dit :

– Arrêtez-vous, il y a une agrafe. Je me souviens de l'avoir posée là pour maintenir le câble. Il va falloir la contourner, d'une manière ou d'une autre.

Mignus leva la tête pour regarder par-dessus l'épaule de Frank. Juste devant lui, le câble était étroitement fixé à la table par une attache de métal. Il n'y avait aucun espace où se glisser. Frank rampa, s'approchant le plus possible de l'obstacle. Mignus le vit agripper des deux mains un des bords de l'agrafe. Ensuite, faisant preuve d'une audace incroyable, Frank glissa sur le côté, les jambes dans le vide, la poitrine contre la courbure du câble.

La voix de Prudence recommanda :

– Faites bien attention, monsieur Hunter !

Frank grogna. Puis il commença à se balancer, de plus en plus fort, et projeta ses jambes de l'autre côté de l'agrafe. Poussant sur ses bras, il redressa son torse et se retrouva de nouveau allongé sur la surface de caoutchouc.

– Voilà comment il faut s'y prendre ! lança-t-il. Je vais vous aider à faire de même l'un après l'autre. Faites-moi confiance ! À toi, Mignus ! Tu passes le premier !

En proie au vertige, Mignus était incapable du moindre mouvement.

– Allez, mon gars ! l'encouragea Frank. Comparé à l'épreuve du lac, ce n'est rien du tout. Donne-moi la main !

Mignus prit une grande inspiration et obéit. Il perçut le contact froid du métal ; puis la poigne solide de Frank se referma sur son bras.

– C'est bien ! Maintenant, laisse aller tes jambes d'un côté. N'aie pas peur, je te tiens !

Mignus déglutit, ferma les yeux et obéit. Il crut qu'il allait tout lâcher. Mais Frank le maintenait fermement, et il se sentit tiré vers le haut. Lorsqu'il eut la certitude d'être hors de danger, il osa rouvrir les yeux.

Frank lui souriait :

– Tu vois ! Ce n'était pas si terrible !

Kitty fut la suivante. Elle ne paraissait pas effrayée. Mignus la vit même sourire, tandis qu'elle oscillait au bout du bras de Frank, comme si elle trouvait ça très amusant.

– Tu n'as pas eu peur ? chuchota Mignus quand elle rampa derrière lui.

Kitty désigna un des insignes cousus sur son uniforme :

– J'ai mon badge de varappe. J'ai toujours été bonne à l'escalade.

Ils franchirent l'obstacle un par un. Lady Grant poussa ses cris habituels. Kip envoya Prudence – encombrée du chien – à Frank, chacun la tenant par un poignet. Ni elle ni Tinker ne firent d'histoire, et, dès qu'ils se retrouvèrent en sécurité, la vieille dame tapota tranquillement ses mèches grises pour les remettre en place.

Kip passa le dernier ; il n'eut besoin d'aucune aide, malgré le poids des outils accrochés à sa ceinture. Il se balança et se hissa de l'autre côté de l'agrafe à la force des bras.

Devant eux, le câble formait une boucle qui descendait, puis remontait avant de disparaître un peu plus loin par un trou circulaire dans le plateau de la table. Par ce trou, leur expliqua Frank, le câble pénétrait directement dans la boîte de contrôle. C'était par là qu'eux-mêmes y entreraient.

Ils refirent la chaîne, chacun tenant la cheville du précédent.

Il leur fallut un bon moment pour atteindre leur but. Ils durent se hisser, l'un tirant l'autre, le long de la pente de caoutchouc, les muscles des bras douloureux. Prudence n'en pouvait plus, et Kip, qui fermait la colonne, la poussa sous les pieds tout le temps de l'escalade.

Enfin ils parvinrent à l'ouverture. Ils s'y introduisirent et, une fois dans la boîte, sautèrent du câble et se posèrent avec soulagement sur un sol plat.

C'était un endroit très étrange. L'intérieur du boîtier était sombre, à peine éclairé par une grille, sur l'une de ses faces, et de minces fentes au plafond, laissant passer de faibles rais de lumière. Des fils électriques de différentes couleurs se connectaient au-dessus de leurs têtes. Une odeur d'huile flottait dans l'air épais. Kip frappa une paroi du poing.

–Du bon acier, dit-il. On est en sécurité.

Lady Grant s'assit dans un coin, la tête entre les mains, l'air profondément abattu.

–On ne peut pas rester ici, gémit-elle. On va mourir de faim.

–Il faut qu'on se débarrasse du cafard, dit Frank. Qu'on le déloge de la table d'une manière ou d'une autre.

–Dites donc ! intervint William. La chauve-souris pourrait s'en charger, non ? Cette nuit, quand elle chassera ? Je parie qu'elle trouvera cette saleté à son goût !

Frank, qui regardait par la grille depuis un moment, les appela :

–Venez voir ! On est aux premières loges, ici !

Ils se pressèrent tous à ses côtés. À travers les barreaux étroits, ils distinguèrent au loin le toit de l'hôtel de ville et la cime des arbres du parc.

–S'il se passe quelque chose cette nuit entre la chauve-souris et le cafard, dit Frank, on le saura. Je prends le premier tour de garde.

8. Dans le Boîtier

La nuit venue, la chauve-souris survola de nouveau le décor.

Flap flap flap…

Le battement des grandes ailes tira les fugitifs d'un profond sommeil. Le visage pressé contre la grille, ils virent passer une ombre gigantesque sur le mur du grenier. Ils regardèrent la bête décrire de larges cercles. Un instant, elle suspendit son vol avant de plonger droit sur l'hôtel de ville.

–Elle a dû voir le cafard, dit Frank.

L'édifice était noyé dans l'ombre et, à cette distance, ils ne distinguaient pas grand-chose. Mais ils entendaient. Et ce qu'ils entendaient était tout à fait étrange. Une incroyable cacophonie montait du parc, un mélange de crissements, de grattements, de frottements, accompagnés d'un sifflement suraigu, insupportable.

–Qu'est-ce qu'elle attend ? s'énerva Lady Grant. Pourquoi

n'emporte-t-elle pas cette immonde créature une fois pour toutes ?

La chauve-souris n'arrivait pas à se saisir de l'énorme cafard pour une simple raison : dans la cervelle de l'insecte palpitait encore un peu l'esprit de Basil. Basil n'étant pas idiot, le cafard qu'il était devenu était infiniment plus malin que le commun des cafards.

Pour la première fois de sa longue et malfaisante existence, Basil avait peur. Peur de Cuddlebug, sa petite compagne adorée ! Il savait qu'elle ne reconnaîtrait pas son maître sous la carapace luisante de l'insecte. Cuddlebug penserait simplement avoir déniché le plus savoureux repas de sa vie, et le plus copieux. Basil le cafard devait donc trouver un abri.

Lors de sa dernière incursion à l'hôtel de ville, il avait enfoncé les portes centrales, effondré la façade et une bonne partie du plafond. Malgré ces destructions, le bâtiment pouvait encore le protéger des serres de la chauve-souris. Enfoui dans les ruines et ne laissant émerger que les durs élytres de son dos, Basil présentait à son agresseur une surface lisse, inattaquable, que la chauve-souris n'arrivait pas à entamer. Les serres de la bête dérapaient sur cette espèce d'armure. Et Basil, cramponné au sol de toute la force de ses griffes, ne bougeait pas d'un pouce, émettant sans discontinuer un sifflement suraigu, seul bruit que les réfugiés de la boîte de contrôle étaient incapables d'identifier.

–Mais qu'est-ce qui se passe ? chuchota William.

–On dirait que ça se bagarre, là-bas, dit Kip. La chauve-souris doit avoir des problèmes.

Soudain, le silence se fit dans le grenier. Le nez sur la grille, tous scrutèrent l'obscurité. Ils perçurent alors le souffle d'air annonçant l'envol de la bête, puis le *flap flap flap* des ailes qui s'éloignait à l'autre bout du grenier, du côté de la lucarne au carreau brisé.

–Vous croyez qu'elle l'a eu ? demanda Prudence.

–Il faut l'espérer, murmura William.

Au même instant, des frottements, des raclements s'élevèrent au loin, indiquant qu'une grosse bête remuait quelque part.

–J'ai parlé trop vite ! soupira William. Je ne sais pas comment il s'y est pris, mais on dirait qu'il a été le plus fort.

Kitty examinait le plafond. Elle déclara :

–Je pense que je pourrais sortir par là.

Les autres suivirent son regard. Par les fentes étroites, on apercevait les poutres du grenier.

–Tu es folle ! protesta Lady Grant. Pourquoi voudrais-tu sortir d'ici ?

–De l'extérieur, je verrai mieux ce qui se passe.

–C'est juste, approuva William. Et tu es bien la seule

à pouvoir le faire. Moi, ce n'est même pas la peine d'y songer !

Prudence secoua ses mèches grises :

– Mais, ma chérie, il va t'attaquer !

– Si je le vois approcher, je rentrerai tout de suite.

– Tu es un bon petit soldat ! la félicita Frank. D'accord, mais sois prudente !

Kip assit la fillette sur ses larges épaules. Elle tendit le bras et attrapa un rebord de métal au-dessus de sa tête ; puis elle se mit debout. En la maintenant par les chevilles, Kip la souleva. Kitty glissa sa tête dans la fente, puis son buste et le reste de son corps.

L'instant d'après, elle était sur le boîtier.

« Wouah ! » l'entendirent-ils s'écrier.

– Qu'est-ce que tu vois ? demanda Frank.

– Tout ! D'ici, je vois tout !

– Que se passe-t-il du côté du parc ?

– Il fait très sombre… Attendez ! La façade de l'hôtel de ville s'est écroulée, une partie du toit est tombée, mais… Il y a quelque chose qui bouge, là… C'est grand, c'est luisant, c'est plein de pattes, ça… Oooh ! Au secours ! Ça vient par ici !

Les jambes de Kitty apparurent dans la fente. Kip lui saisit les chevilles, la fit descendre et la reposa doucement sur le sol.

– C'est le cafard, haleta Kitty. Il n'a même pas l'air blessé. Et il marche droit sur nous.

Ils entendirent alors l'affreux bruit de pattes se rapprocher. Ils sentirent l'odeur âcre de l'insecte à travers la grille tandis qu'une ombre énorme l'obscurcissait. Puis des raclements résonnèrent sur l'acier ; la bête escaladait le boîtier. Son ventre noir se colla aux fentes du plafond.

– Il est juste au-dessus de nous, chuchota William.

– Il ne peut pas entrer, affirma Frank. Mieux vaut tout de même se réfugier là-dessous !

Il désignait une boîte de dérivation, accrochée à une des parois d'acier. Un écheveau de fils colorés en sortait, formant une sorte de grotte.

Ils s'y accroupirent, serrés les uns contre les autres, au moment même où une longue patte noire et velue s'introduisait dans une fente.

Ils se tassèrent encore plus dans l'étroite cavité. La griffe toucha le sol, exactement à l'endroit où ils se tenaient une seconde avant, avança en tâtonnant, explora chaque millimètre, à la recherche de ses proies. Elle trouva le bord de leur abri, rampa lentement vers eux…

Lady Grant gémit de frayeur et retira vivement sa jambe. Ce faisant, elle perdit une chaussure. Sans réfléchir, elle se pencha pour la reprendre, mais Kip la saisit par la taille et la ramena en arrière.

– Cette chaussure est une Manolo ! grommela-t-elle. Avez-vous une idée de ce que ça coûte ?

– Ça pourrait être un diamant de la taille de votre tête, Lady Grant, grommela Kip, je m'en fiche ! Restez tranquille !

La griffe grattait le sol. Soudain, elle effleura la chaussure. La patte s'étira de tout son long, vibrant sous l'effort, agrippa la chaussure et l'emporta hors de leur vue.

– Ma belle Manolo ! se lamenta Lady Grant.

– Au moins, dit Frank, la preuve est faite que la bête ne

peut pas nous atteindre ici. Elle n'a pas les pattes assez longues.

Le cafard resta étendu sur la boîte toute la nuit. De temps en temps, il glissait une patte pour balayer l'intérieur ; le petit groupe se recroquevillait alors craintivement. À l'aube, il s'agita soudain, retomba sur la table avec un bruit mat et s'éloigna vers le parc en trottinant.

– Il sait que la chauve-souris va revenir à son perchoir, dit Frank. Il retourne à l'hôtel de ville.

Mignus sortit à quatre pattes de leur abri improvisé, et les autres le suivirent.

Ils s'installèrent aussi confortablement que possible pour dormir un peu en attendant le lever du jour. Mignus fut incapable de trouver le sommeil. Il ruminait une nouvelle idée tout en observant l'enchevêtrement de fils multicolores. Il n'y connaissait rien en électricité, mais un spécialiste était parmi eux. Il s'approcha de Frank, allongé près de la grille, les yeux fermés.

– Frank ? Tu dors ?

– Plus maintenant, répondit Frank en ouvrant un œil.

– Je me demandais... Crois-tu qu'il soit possible de rétablir le courant ?

– Tu veux dire... sur le circuit ?

– Oui.

Frank leva un sourcil :

– Tu as une idée ?

Mignus haussa les épaules :

– Je ne suis pas sûr. Mais tu saurais le faire ?

Frank s'assit et examina d'un œil expert les divers branchements :

– Ma foi… Tu vois ce fil rouge ? En le connectant au noir, là… Oui, c'est envisageable.

– Et les trains, tu pourrais les mettre en marche ?

Frank ne répondit pas tout de suite. Son regard parcourait l'installation.

– Oui, dit-il enfin. Mais on n'a pas la force de tourner les axes de commande qui contrôlent la vitesse. Ça signifie que les trains démarreraient à fond la caisse ; il y aurait sûrement des déraillements dans les virages. Je n'ai pas mieux à te proposer.

– Tu pourrais lancer un train en particulier ?

– Ça, non ! D'ici, je ne vois pas quel fil correspond à quel train. Je devrais les essayer l'un après l'autre. Qu'as-tu encore imaginé ?

– Il me reste une dernière chose à vérifier, dit Mignus en désignant la grille. Je vais sortir par là.

Frank mesura du regard l'écartement des barreaux :

– Tu n'y arriveras pas. La petite Kitty passerait, pas toi.

– C'est moi qui dois y aller, affirma Mignus avec détermination. On n'aura qu'à scier un des barreaux.

– Ça prendrait du temps. Nous avons deux scies à métaux, mais cet acier est solide.

– Ce serait quand même faisable ?

– Oui. On en aurait pour deux bonnes heures.

Regardant le garçon dans les yeux, Frank ajouta :

– Seulement, avant de commencer, je veux savoir ce que tu as en tête.

Mignus s'assit près de lui et lui soumit son plan. À mesure qu'il parlait, les yeux de Frank s'agrandissaient. Quand Mignus eut fini, il poussa un long soupir et décréta :

– C'est hors de question !

– Pourquoi ?

– Parce que c'est bien trop dangereux, voilà pourquoi.

– Le coup du miroir aussi, c'était dangereux.

Frank secoua la tête.

– Ce n'est pas pareil, grommela-t-il. Cette fois, il y a bien trop de risques.

– Mais ça pourrait marcher ?

Une ride profonde creusait le front de Frank. Il réfléchit longuement avant d'admettre :

– Possible, bien que ce soit complètement dingue ! Mais je ne te permettrai jamais de faire ça. Si quelqu'un le tente, ce sera un adulte.

– Non, objecta Mignus avec calme. Ce sera moi. Et d'un, ce serait trop long de scier assez de barreaux pour qu'un adulte puisse passer. Et de deux, c'est moi que Basil cherche. C'est contre moi qu'il est furieux. Vous, il veut juste vous remettre à vos places. Moi, il veut me tuer.

– C'est bien pour cette raison qu'on ne te laissera pas y aller, conclut Frank en appuyant sa tête contre la grille et en refermant les yeux.

– On n'a qu'à voter, proposa Mignus.

Frank soupira :

– Parce que tu vas les mettre au courant, hein ? Et, bien sûr, il y en aura pour accepter que tu le fasses. C'est bon ! On est en démocratie, après tout. Chacun a le droit de donner son avis. Puisque tu insistes, on votera. Mais, je te préviens, je vais voter « non » !

Il y eut trois « oui » et trois « non ».

Frank, Kitty et Prudence étaient farouchement opposés au projet. Kip et William le trouvaient risqué, mais estimaient qu'il n'y avait pas d'autre solution. Lady Grant se contenta de grommeler :

– N'importe quoi, pourvu qu'on échappe à cette immonde créature !

– Désolé, Mignus, déclara Frank. Tu n'as pas obtenu la majorité des voix.

– Et moi ? objecta le garçon. Je n'ai pas le droit de voter ?

– Bien sûr que si ! s'écria William. On est en démocratie.

– Très bien. Je vote pour.

– Quelle surprise…, lâcha Frank d'une voix morne.

Il y avait beaucoup à faire.

Kip et William se mirent à la longue et fastidieuse tâche consistant à scier un barreau de la grille. Ils se placèrent chacun à un bout. Leurs scies étaient d'une taille ridicule par rapport à l'épaisseur de l'acier. Au bout d'une heure d'efforts, ils en étaient à peine à la moitié. Pendant ce temps, Frank s'occupait de l'installation électrique. Il fendait des gaines de plastique, dénudait des fils de cuivre. Il fredonnait à mi-voix tout en travaillant.

Peu après le lever du jour, le grincement des scies sur l'acier fut couvert par un puissant ronronnement.

– Le courant passe ! annonça Frank.

Une odeur d'ozone emplit l'atmosphère, et une douce tiédeur remplaça la fraîcheur qui avait régné toute la nuit dans la boîte.

– On va vite avoir trop chaud, les prévint Frank.

Il fallut encore une heure à Kip et William pour venir à bout du barreau. Tous deux ruisselaient de sueur, et les mains du vendeur d'encyclopédies étaient couvertes d'ampoules.

Frank tira un câble vert jusqu'à la boîte de dérivation. Avec son couteau, il en dénuda les fils.

– C'est bon, fit-il. Je n'ai plus qu'à mettre ça en contact avec l'un des fils jaunes, et un train va démarrer. La question est : lequel ?

– À notre observatrice de jouer ! déclara Kip.

Il souleva Kitty, qui se faufila par une fente du plafond et grimpa sur le boîtier.

– Où est le cafard ? demanda Kip.

– Dans le parc. À côté de la statue. Il ne bouge pas. Si, attendez ! Il remue ses antennes.

– C'est dégoûtant ! lâcha Lady Grant.

Elle avait enlevé sa seconde chaussure et la serrait sur son cœur comme un bibelot précieux.

Kip se tourna vers Mignus :

– On est prêts ! Tu peux y aller.

–Ne prends pas de risque inutile, mon petit ! recommanda Prudence.

Kip lui tendit un objet qu'il avait tenu caché derrière son dos :

–Tu auras peut-être besoin de ça. Ou plutôt, *nous* en aurons besoin.

Mignus examina l'objet. C'était un mètre de charpentier qui, déplié, formait une longue baguette. À une extrémité était agrafé un fanion rouge.

–Tu le passeras dans ta ceinture, expliqua Kip. Ça nous permettra de te repérer. Même si on ne te voit plus, le fanion nous indiquera où tu es.

Tout le monde approuva, et Mignus se sentit un peu rassuré à l'idée qu'on pourrait suivre ses déplacements. Seul Frank se taisait.

Il s'avança soudain, les sourcils froncés :

–Je ne veux pas que tu y ailles, Mignus ! Vote ou pas vote, je m'y oppose. C'est trop dangereux.

Il y eut un silence tendu. Puis William intervint :

–Bon sang, j'ai cru entendre mon patron ! On a décidé ensemble, non ?

Frank eut un bref mouvement de tête :

–C'est exact. Mais il faut bien que quelqu'un se montre responsable. Pour l'amour du ciel, ce n'est qu'un gosse !

Mignus balaya le groupe du regard, espérant un soutien.

Mais tous les yeux l'évitèrent. Les uns fixaient le sol, d'autres le plafond.

Kip hocha tristement la tête :

– Il a raison, Mignus. C'est trop dangereux. J'ai voté pour, mais je change d'avis.

– Oui, fit William. Il y a sûrement un autre moyen. Désolé, Mignus.

Kitty renifla :

– Je n'ai jamais voulu que tu le fasses, moi !

Mignus se tourna vers Lady Grant. Elle était assise contre une paroi, les bras pendant de chaque côté du corps, les jambes allongées devant elle. Son visage exprimait l'indécision. Tous deux se fixèrent pendant plusieurs secondes. Elle fit alors une chose curieuse : elle cligna de l'œil, puis, sans transition, elle se mit à hurler :

– Aïe ! Ouille ! Ma main ! J'ai mal ! Oh, j'ai mal !

Les yeux fermés, le visage tordu par une grimace de douleur, elle gardait sa main droite dans son dos et battait frénétiquement l'air de la gauche. Tous se précipitèrent ; Prudence s'agenouilla près d'elle :

– Que vous arrive-t-il, chère amie ?

– Ma main ! Il a attrapé ma main ! Aïe ! Aïe ! Faites-le partir, je vous en supplie ! gémissait-elle.

D'un bond, Frank fut à son côté. Il lui saisit le bras droit et tira.

–Non ! J'ai trop mal ! Lâchez-moi !

Frank tira encore, plus doucement cette fois.

–Qu'est-ce qu'elle a, votre main ? Elle n'a rien, Lady Grant ! Rien du tout, regardez !

Lady Grant rouvrit les yeux :

–Elle n'a rien ? Vous êtes sûr ? Juste ciel, c'est vrai ! J'aurais pourtant juré que quelque chose me mordait !

Frank haussa les épaules :

–Allons, c'est votre imagination qui…

Lady Grant prit alors une grande inspiration et lança :

–Vas-y, Mignus ! Vite !

–NOOON ! hurla Frank.

Trop tard ! Profitant de cette diversion, Mignus s'était rapproché de la grille. D'un mouvement souple, il se glissa par l'ouverture entre les barreaux. Frank bondit pour le rattraper :

–Mignus ! Attends !

Kip posa sa main sur l'épaule de Frank :

–Laisse ! On ne peut plus l'arrêter, maintenant.

Frank jeta à Lady Grant un regard courroucé.

–Vous n'auriez pas dû faire ça ! gronda-t-il. Ce n'est pas bien.

–Vous ne parlerez plus ainsi quand il nous aura sauvés, rétorqua-t-elle tranquillement.

Une fois dehors, Mignus se sentit très seul et très vulnérable. Il déplia le mètre, le coinça dans le dos de son pantalon et resserra sa ceinture d'un cran. Le petit drapeau flottait au-dessus de sa tête. Il marcha jusqu'à ne plus entendre les voix de ses compagnons. Il regarda alors en arrière. Kitty, perchée sur le boîtier, lui adressait de grands signes. Mignus agita la main en retour, pas plus rassuré pour autant.

À l'intérieur du boîtier, tous étaient si occupés à suivre le garçon des yeux que personne ne prêta attention à Tinker. Le petit chien s'écarta de Prudence, sauta d'un bond sur l'épaule de Kip et franchit la brèche

ouverte entre les barreaux. Tout excité d'avoir retrouvé sa liberté, il rattrapa Mignus au galop.

– Non, Tinker ! lui ordonna le garçon en chuchotant. Retourne là-bas !

Tinker fit la sourde oreille. Pas question qu'il retourne dans une cage aussi sombre et aussi bizarre ; pas même pour cette gentille petite humaine qui l'appelait, là-bas, en remuant les bras ! Il bondissait autour de Mignus, les oreilles dressées, poussant des jappements joyeux. Et, tout à coup, le garçon se sentit moins seul.

– D'accord, mon chien ! dit-il. Tu viens avec moi. Allons-y, faisons ce que nous avons à faire !

Mignus inspira profondément et reprit sa route.

9. La locomotive

Autour de la boîte de contrôle, le plateau de la table était nu. La fausse herbe en papier de verre ne « poussait » que trente centimètres plus loin, et il fallait parcourir encore une quinzaine de centimètres pour atteindre l'orée de la forêt.

Mignus marchait, le cœur battant. Comme s'il avait pris conscience de l'importance de leur mission, Tinker trottait maintenant sagement à son côté. Ils s'enfoncèrent dans les bois en faisant le moins de bruit possible.

Mignus essayait de se remémorer le tracé du réseau ferroviaire. Il se concentrait particulièrement sur la ligne qui partait de la gare de triage, traversait les faubourgs et pénétrait dans la forêt. Il calcula que, s'il continuait tout droit, il arriverait bientôt au bord de cette voie. En effet, quelques instants plus tard, il vit luire les rails dans la lumière du matin. Mignus se posta sur les traverses pour se repérer : à gauche, à environ soixante centimètres de là, une large boucle menait vers la ville. À droite, les rails filaient vers l'extrémité de la table, puis viraient presque à angle droit pour en longer le bord.

– On va passer à l'action, Tinker, dit-il. Dommage que je ne sache pas courir aussi vite que toi !

Ils prirent à gauche, avançant entre les rails. Mignus posait les pieds sur les traverses pour éviter le gravier qui roulait sous ses pas. Il s'essaya à la course pour tester sa vitesse, jusqu'à ce qu'il trébuche et s'étale rudement sur les cailloux pointus. Il resta assis un instant, pressant ses mains écorchées contre sa poitrine. Tinker l'observait, l'œil inquiet. *Cela faisait-il partie du plan, ou ce gentil garçon qui sentait si bon était-il nul à la course ? Bien sûr, quatre pattes, c'était mieux que deux...*

Mignus se releva, tapota la tête du chien et repartit.

Les arbres, de chaque côté de la voie, étaient plantés si serrés qu'ils semblaient vouloir les étouffer. Passé le tournant, Mignus fut soulagé d'apercevoir, un peu plus loin, les mornes bâtiments de la gare de triage. La monstrueuse locomotive était garée là, telle une bête accroupie prête à bondir, son chasse-pierres proéminent évoquant une gueule pleine de dents. Bientôt, comme Mignus s'y attendait, l'espace s'éclaircit à gauche de la voie. Basil avait créé là un décor d'exploitation forestière, parsemé de souches d'arbres abattus. Une hache était plantée dans l'une d'elles, le manche dressé. Des sortes de huttes s'alignaient le long d'un sentier boueux. La scierie, avec ses machines poussiéreuses, était installée à proximité, au bord des rails.

Mignus et Tinker s'engagèrent sur le sentier. En réalité, le sol était sec. C'était du papier de verre, adroitement plissé et peint en brun, qui imitait à s'y méprendre les ornières et les nids-de-poule. Ce sentier serpentait à travers le sous-bois en direction de la ville, et Mignus savait qu'il atteindrait bientôt les faubourgs.

– Tu le vois ? lança Kip à Kitty, postée en sentinelle sur le dessus du boîtier.

– Je vois son drapeau !

– Où est-il, maintenant ?

– Il arrive à la ville.

– Parfait ! fit Kip. Ne perds pas le fanion de vue !

Il se tourna vers Frank.

– Prêt ? demanda-t-il.

– Tout ce qu'il y a de plus prêt !

« Nous y voilà ! » pensa Mignus tandis que, laissant le bois derrière lui, il pénétrait dans les faubourgs, suivi du petit chien. « Pourvu que la chance soit avec nous ! »

C'était un quartier de pavillons, dotés sur le devant de minuscules jardins, où étaient entreposées deux poubelles par maison, d'anciens modèles en métal, dont le couvercle rond était muni d'une poignée. Mignus se dirigea vers le pavillon le plus proche et s'empara de deux couvercles.

–Attention au boucan, Tinker ! prévint-il.

« Allons-y ! s'encouragea-t-il. C'est le moment ou jamais. »

Mignus leva ses cymbales improvisées, écarta les bras. Il déglutit et, serrant les dents, cogna de toutes ses forces les couvercles l'un contre l'autre. Le bruit fit trembler les murs et résonna longuement entre les maisons.

Tinker s'aplatit sur le sol, les oreilles rabattues. *Qu'est-ce qui lui prend, à mon copain odorant ? Et voilà qu'il recommence à faire n'importe quoi ! Oh non !*

CLANG ! BANG ! CLANG ! BANG !

En tout cas, le garçon avait l'air de bien s'amuser, et Tinker en déduisit qu'il s'agissait d'un nouveau jeu, un divertissement musical, peut-être ? Il se mit donc en devoir d'y participer. Il bondit sur ses pattes et, levant la tête, poussa un long hurlement qui souligna le son rythmé et discordant produit par les couvercles de métal :

HOUOUOUOU ! CLANG BANG !

Dans le parc, les antennes du cafard frémirent et s'orientèrent en direction du bruit.

Basil – ou ce qui restait de Basil dans sa carapace de cafard – avait passé une très mauvaise nuit. Sa métamorphose lui était déjà pénible, mais l'attaque de son animal favori l'avait profondément démoralisé. Il n'avait survécu à ces heures nocturnes que grâce à la force de son cerveau, qui avait su dominer sa stupide cervelle d'insecte. L'instinct de la bestiole l'incitait à affronter son agresseur. Mais l'esprit de Basil l'en avait dissuadé, l'obligeant à présenter son dos en s'accrochant de toute la puissance de ses griffes aux ruines de l'hôtel de ville. Par chance, Cuddlebug ne manquait pas d'intelligence, pour une chauve-souris. Après s'être escrimée en vain plusieurs minutes sur les élytres du cafard, elle avait conclu que cette proie n'en valait pas la peine. Elle en trouverait de moins récalcitrantes ailleurs. Cuddlebug avait donc abandonné la partie, et filé dehors par le carreau cassé. Basil avait alors résisté à sa nature de cafard, qui le poussait à se mettre en quête de nourriture. Il était resté agrippé à la même place encore dix bonnes minutes, au cas où Cuddlebug se raviserait et reviendrait à la charge.

Une fois assuré que la chauve-souris était partie pour de bon, Basil avait traversé la table. Pendant plusieurs heures, il avait tenté sans succès d'extirper de leur cachette cette crapule de Mignus, ainsi que les petites victimes de plastique. Celles-là, elles étaient revenues à la vie il ne savait comment, et c'était bien ça, le plus rageant !

Et là, ce tintamarre soudain, à l'autre bout de la ville, lui donnait une furieuse migraine tandis que son estomac de cafard criait famine. Malgré la confusion de son esprit, il devinait qui était responsable du tapage. Ses figurines – même si elles n'étaient plus en plastique – n'auraient jamais osé se conduire de la sorte.

Basil fit pivoter son long corps et avança de ce côté. Ses antennes tâtaient l'air, goûtant les odeurs portées par une légère brise. *Oui ! C'était lui ! Ce sssale petit morveux de Mignusss ! Il aurait dû lui régler ssson compte depuis longtemps. Eh bien, le sssacripant ne perdait rien pour attendre ! Il le dégusssterait en commençant par la tête, et le grignoterait jusssqu'aux doigts de pied ! Fini, Mignusss ! Disssparu ! Il n'en ressterait rien !*

Remuant vivement ses pattes, Basil pressa l'allure.

Tinker détecta l'approche du cafard bien avant que Mignus ne le voie. Le petit chien cessa de hurler et tourna sa truffe vers le parc. Il se ramassa sur lui-même, les oreilles dressées, le poil hérissé, un grondement sourd roulant au fond de sa gorge.

– Qu'est-ce qu'il y a, mon vieux ? s'inquiéta Mignus, arrêtant un instant son ramdam.

Tinker gronda encore, les babines retroussées.

– Il vient ? fit Mignus d'une voix que la peur faisait grimper dans les aigus.

Tinker lui jeta un bref regard. *Bien sûr qu'il vient ! Tu ne sens donc pas cette odeur ?*

Au même moment, le cafard apparut au bout de la rue. Agitant furieusement ses antennes, il fonçait vers eux de toute la vitesse de ses six pattes.

Mignus lâcha ses couvercles, qui rebondirent avec fracas sur la chaussée, fit demi-tour et détala, le chien sur ses talons.

À l'intérieur du boîtier, tous les yeux étaient rivés sur les fentes du plafond.

– Que se passe-t-il, ma chérie ? demanda Prudence.

–Je ne sais pas très bien, répondit Kitty. Vous avez entendu ?

Ils avaient entendu. Ça venait de loin, mais ils avaient reconnu les hurlements du chien accompagnés de curieux chocs métalliques. Ensuite, le silence était revenu.

–Tu ne vois rien bouger ? voulut savoir Kip.

–Non, rien. Ah si ! J'aperçois le drapeau ! Ça y est ! Mignus retourne sur ses pas. On dirait qu'il court. Et... et... le cafard ! Le cafard le poursuit !

–Préviens-nous dès que Mignus arrive à la voie de chemin de fer ! cria Frank.

–Ça va être à nous, dit Kip avec calme.

Frank hocha la tête. Il approcha le tortillon de cuivre, sortant du câble vert, d'un fil jaune dénudé, et se tint prêt.

Mignus et Tinker galopaient. Ils entendaient dans leur dos le grattement des pattes griffues et, de temps en temps,

un arbre qui s'abattait avec fracas. L'énorme insecte se traçait un chemin à la manière d'un bulldozer.

Lorsqu'ils atteignirent enfin les rails, le garçon était hors d'haleine, alors que le petit chien semblait encore capable de courir jusqu'au bout du monde. Le cafard arrivait déjà à la hauteur de la scierie, il serait sur eux en moins de vingt secondes. Mignus utilisa deux ou trois de ces précieuses secondes pour sortir le drapeau de sa ceinture. Il le brandit aussi haut qu'il put et le secoua frénétiquement, faisant claquer le fanion rouge dans les airs.

Kitty débita d'une voix stridente :

– Il est sur les rails ! Il agite le drapeau ! Le cafard... Oh, non ! Le cafard arrive ! Mignus est reparti, il court sur la voie ! Il court, il court... Le cafard accélère !

– Vas-y, Frank ! hurla Kip.

Frank mit des fils dénudés en contact.

– Est-ce qu'un train a démarré ? cria Kip.

Kitty ne répondit pas tout de suite. Puis elle gémit :

– Oui, mais ce n'est pas le bon ! C'est le petit train de marchandises ! Et il roule en marche arrière ! Essayez-en un autre ! Vite !

Frank tenta un deuxième contact.

– Et là ? demanda Kip.

Encore un silence. Puis la voix paniquée de la petite fille :

– Non ! Non, pas celui-là ! C'est le train de passagers ! Il n'est pas sur la même voie ! Un autre ! Dépêchez-vous !

Frank fit un troisième branchement.

Les jambes de Mignus étaient lourdes comme du plomb. Courir sur les traverses exigeait une attention constante. Les rails s'étiraient devant lui, droits comme une flèche. Le garçon savait que quelques dizaines de centimètres seulement le séparaient encore du tournant, au bord de la table. Mais, pour lui, cela représentait des kilomètres, et il doutait de parvenir là-bas à temps. Ses semelles claquaient sur les traverses, encore, encore. Son cœur battait à en exploser. Tinker galopait à côté de lui, la langue pendante, jetant parfois un regard en arrière. Maintenant, le cafard courait aussi sur les rails, le crissement de ses griffes en témoignait, et il gagnait rapidement du terrain.

Mignus comprit qu'il n'y arriverait pas. Le bord de la table était trop loin, et il n'en pouvait plus. Et la grosse locomotive ? Elle aurait dû être en marche, maintenant. Puisqu'elle roulait sur cette voie, il aurait dû percevoir le martèlement de ses pistons. Mais il n'entendait que le sifflement de sa propre respiration, le claquement de ses pieds sur les traverses, et d'autres bruits – terrifiants ! – juste derrière lui, tout près, bien trop près…

Soudain, il vit du coin de l'œil le petit chien faire volte-face. Emporté par son élan, Mignus ne put s'arrêter tout de suite. Tinker fonçait sur l'énorme insecte en aboyant comme un fou !

–Non ! hurla Mignus. Tinker ! Reviens !

Mais Tinker n'obéit pas. Tinker en avait assez ! *Cogner des couvercles de poubelles, cavaler sur des rails, c'était bien joli ; mais quel chien supporterait d'être poursuivi par un vulgaire insecte ? Que l'insecte en question soit aussi gros qu'un camion n'avait aucune importance ; que ses mandibules paraissent redoutables, non plus. Il sentait l'insecte, c'était tout ce qui comptait. Lui, il était un chien, et cette chose un insecte. Tinker allait lui montrer qui était qui. Le garçon odorant lui criait quelque chose, l'encourageant sans doute à ratatiner cette sale bestiole. Oh, oui, il la ratatinerait ! Le garçon odorant ne serait pas déçu du spectacle !*

L'espace d'un instant, en voyant le chien se ruer sur lui, Basil oublia sa nouvelle apparence, et il eut peur. Il détestait les chiens. Leurs crocs, leurs aboiements hargneux quand ils l'apercevaient le terrifiaient. Basil les avait toujours évités. Lorsqu'il avait surpris la vieille en train de l'espionner, il lui avait enjoint de retenir son chien, sous peine de subir tous deux des choses fort désagréables. Elle s'était exécutée, ce qui n'avait pas empêché Basil, évidemment, de les enfermer dans un placard, sous l'escalier, et de les réduire à l'état de figurines en soufflant sur eux par le trou de la serrure. Et voilà que le cabot était là, grondant et bavant ! Basil se raidit, ses pattes s'enfoncèrent dans le gravier. Tinker s'arrêta devant lui et grogna, les babines retroussées découvrant ses crocs pointus. Le cafard ne bougeait plus. À quelque distance de là, Mignus observait, pétrifié, le face-à-face du minuscule chien avec le monstrueux insecte.

Alors Basil se rappela ce qu'il était : un cafard géant doté de puissantes mandibules et protégé par une solide carapace de chitine. Ce microbe n'était pas de taille à l'affronter, avec ses petites dents de rien du tout. Le plus fort, le plus redoutable, c'était lui ! Et Basil attaqua. Tinker esquiva habilement en se jetant sur le côté avec des jappements furieux. Basil fit pivoter son énorme corps et attaqua de nouveau. Et, de nouveau, le chien esquiva. Les deux combattants se mirent à décrire des cercles ; l'un se déplaçait lourdement en claquant des mandibules, l'autre sautillait pour se mettre hors d'atteinte sans cesser d'aboyer.

À l'intérieur du boîtier, Frank avait essayé presque tous les contacts. À chaque tentative, la voix de Kitty, frisant l'hystérie, lui criait que ce n'était PAS le bon train ! Il ne restait plus qu'une connexion possible.

– Cette fois, marmonna Frank, il faut que ça marche !

Mignus en avait vu assez. Tinker se débrouillait fort bien, ça lui donnait un peu de temps. Il reprit sa course entre les rails, se dirigeant vers la bordure de la table. Peu à peu, les aboiements de Tinker et les sifflements de Basil diminuèrent. En moins d'une minute, il toucha au but. C'était à cet endroit, où la voie de chemin de fer amorçait un brusque virage, qu'il devait se tenir. Si toutefois le train arrivait !

Mignus attendit – à ce qu'il lui sembla – une éternité. Il était debout, un pied posé sur l'un des rails. Il observait de loin l'affrontement qui se poursuivait, le cafard manœuvrant sa lourde carcasse, Tinker continuant d'esquiver les attaques, quand il sentit une légère vibration lui picoter les orteils. Il regarda. Le rail ne bougeait pas. Pourtant, la vibration montait à présent dans le pied du garçon, dans sa cheville, dans sa jambe. Il s'agenouilla et posa son oreille contre le métal froid. Un son résonna alors dans sa tête, un martèlement régulier, de plus en plus fort. Et, là-bas, du côté de la scierie, la grosse locomotive apparut, ses pistons actionnant les roues à une vitesse d'enfer, son chasse-pierres rasant les rails.

Tinker et l'affreux insecte étaient trop occupés pour s'apercevoir du danger. Si Mignus ne réagissait pas tout de suite, Tinker serait happé par le train. Le garçon plaça deux doigts dans sa bouche et émit un sifflement impérieux.

Tinker tourna la tête. *Qu'est-ce qu'il voulait donc, le garçon odorant ? Il ne voyait donc pas que ce n'était pas le moment ? Quoi ? Il sifflait encore ? Avait-il besoin de lui ? De toute façon, cette bagarre commençait à l'ennuyer. Il avait montré à l'insecte qui était le chef. Et il y avait ce drôle de bruit, assez effrayant, à vrai dire, qui devenait assourdissant, et... Houp ! Fichons-le camp d'ici !*

Tinker tourna le dos à son adversaire et galopa vers Mignus entre les rails, les oreilles au vent. Le cafard se lança à sa poursuite de toute la vitesse de ses six pattes. Et, derrière le cafard, la locomotive, énorme, grondante, haletante, surgit dans un déchaînement de pistons et un tourbillon de fumée noire, le chasse-pierres en avant.

Mignus se tint parfaitement immobile. Il n'y avait rien d'autre à faire. Arriverait ce qui devait arriver, à condition que le cafard reste sur les rails.

C'est alors que Tinker, fatigué de franchir les traverses et de s'écorcher les pattes sur le gravier, quitta les rails et continua sa course sur l'herbe peinte. Aussitôt, le cafard obliqua aussi, abandonnant la voie ferrée, et se mettant du même coup hors de danger.

Mignus eut une seconde de consternation. Puis il se mit à crier, à sauter au beau milieu de la voie en agitant son drapeau rouge, tentant désespérément d'attirer sur lui l'attention du cafard.

Basil avisa le fanion et, sous le fanion, le visage du garçon qu'il haïssait plus que tout, et qui osait le narguer. Oubliant le ridicule petit chien, il remonta sur la voie. Le gamin était presque à sa portée ! Il imaginait déjà dans son esprit embrouillé comment il allait écrabouiller cet être détestable, le broyer et le mastiquer tout entier, des oreilles jusqu'aux orteils.

Mais, à l'instant où Basil allait bondir pour écraser Mignus, celui-ci se jeta de côté, sur la fausse herbe du talus. Il roula, roula, et s'arrêta enfin en heurtant un tronc d'arbre. Si Basil était rapide en ligne droite, son corps de cafard était bien trop pesant pour changer aussi vite de direction. Il fut donc obligé de ralentir afin d'amorcer un demi-tour.

Trop tard !

Le chasse-pierres le heurta violemment et le catapulta dans les airs. Mignus vit l'énorme cafard tournoyer et s'élever vers les poutres du grenier. Il sentit le souffle du train qui filait tout droit. La locomotive s'engagea dans le virage à pleine vitesse, oscilla de droite et de gauche dans un crissement de roues. Puis l'engin sembla se cabrer, sortit des rails, et fut projeté contre le mur du grenier, où il se fracassa avec ses wagons. Levant les yeux, Mignus constata alors avec horreur que le cafard allait retomber d'une seconde à l'autre, non pas sur le sol, comme il l'avait espéré, mais sur la table. Et l'insecte possédait une carapace assez dure pour le protéger du choc !

Dans les poutres, Cuddlebug s'agita dans son sommeil. Il y avait décidément beaucoup trop de bruit, en bas ; ce n'était pas normal. Ça éclatait, ça pétait, ça explosait. Ce raffut était extrêmement gênant, si gênant que Cuddlebug ouvrit un œil.

Et elle vit arriver son petit déjeuner.

Curieux ! D'habitude, elle devait chercher une proie, la capturer, pour enfin la manger. Jamais l'une d'elles n'avait volé de cette drôle de façon jusqu'à son perchoir ! Elle reconnut l'appétissant cafard qui lui avait donné tant de fil à retordre quelques heures plus tôt. Mais depuis quand les cafards savaient-ils voler ? Et depuis quand une chauve-souris était-elle censée prendre son repas en plein jour ? Oh, et puis, quelle importance ? Une telle opportunité ne se présenterait pas deux fois !

Cuddlebug tendit paresseusement une énorme serre et chopa Basil au vol.

C'est alors que le sortilège cessa. Oh, pas d'un seul coup ! D'abord, le cafard, fermement retenu par la serre de Cuddlebug, s'alourdit, à la grande satisfaction de la chauve-souris. *De mieux en mieux ! Un repas encore plus copieux !* Cependant, le corps de l'insecte continuant de grossir, la proie se transforma en fardeau, et Cuddlebug commença à avoir des crampes. Le poids fut bientôt tel que son autre serre, accrochée à une poutre, se mit à glisser. La chauve-souris lâcha soudain la poutre sans lâcher sa proie, et tomba. Aussitôt, elle déploya ses grandes ailes. Mais son déjeuner devenait si gros et si lourd – on aurait même dit qu'il changeait de forme – qu'elle dut le maintenir avec sa seconde serre. *Oui, ainsi, elle avait une meilleure prise !* En revanche, sa descente était beaucoup trop rapide. Elle décrivit un large cercle au-dessus de la table, cherchant à reprendre de la hauteur. *Ah ! le carreau cassé du grenier ! Si seulement elle arrivait à filer par là avant que sa charge devienne impossible à porter !*

La chauve-souris agita frénétiquement ses ailes et s'envola par la lucarne, évitant de justesse les lames de verre brisé plantées dans le cadre de bois tels des poignards. Surgissant à l'extérieur – *Aïe ! La lumière ! Ça lui brûlait les yeux ! De quel côté devait-elle aller ?* – paniquée, aveuglée, Cuddlebug perdit tous ses repères. Tandis que sa proie reprenait peu à peu forme humaine, elle tournoya comme une toupie folle, puis, entraînée par le poids, elle piqua vers le sol.

Par réflexe, Cuddlebug voulut ouvrir ses serres pour se débarrasser de son fardeau.

Seulement, à cet instant, Basil était redevenu Basil. Dès que les griffes qui l'avaient retenu jusque-là si fermement firent mine de s'écarter, son réflexe à lui fut de saisir aussitôt quelque chose, n'importe quoi qui l'empêche de plonger dans le vide tête la première. Il agrippa donc de toutes ses forces les seules prises à sa portée, les deux serres qui s'apprêtaient à le laisser tomber.

Cuddlebug émit un cri strident de peur et de colère, et battit désespérément des ailes. Sans résultat. La loi de la pesanteur était la plus forte, tous deux allaient s'écraser sur le ciment du trottoir. Or Basil, en retrouvant son corps de warlack, avait perdu sa solide carapace de cafard. Quant à Cuddlebug, elle n'avait que sa fourrure pour la protéger.

Mignus ne voyait rien de ce qui se passait à l'extérieur, mais il entendait. Le cri de Cuddlebug était un ultrason, inaudible pour un humain. Le premier son qui parvint donc aux oreilles du garçon fut le long hurlement de terreur poussé par Basil lors de sa chute. Il fut suivi de peu par deux horribles bruits d'écrabouillement : un monstrueux SPLASCH ! et, une seconde plus tard, un tout petit splasch !

Mignus ferma les yeux. Il avait encore mal au dos à cause de sa collision avec le tronc de l'arbre. Il resta quelques instants étendu, immobile. Puis il sentit sur sa joue une caresse chaude et mouillée. Il rouvrit les yeux. Tinker, penché sur lui, lui léchait la figure.

Et Tinker était nettement plus gros qu'avant.

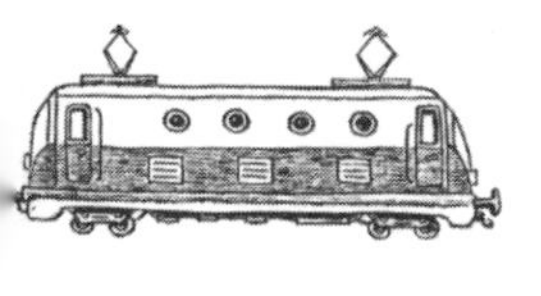

10. La chute de la maison Tramblebone

Mignus comprit que Tinker grossissait, car le décor semblait rétrécir. Les arbres qui, un moment plus tôt, le dominaient de toute leur hauteur, avaient diminué de moitié. Le chien occupait tout l'espace jusqu'à la voie ferrée, et celle-ci était déjà toute petite.

Cependant, Tinker n'était pas plus grand par rapport à lui. Ce qui signifiait que…

Mignus grandissait également !

Il regarda autour de lui. Sa tête dépassait la cime des arbres. Il découvrait l'ensemble du décor derrière la forêt. Le boîtier de contrôle, là-bas, semblait vouloir s'arracher tout seul de la surface de la table. Les écrous qui le maintenaient jaillissaient de leur trou avec un claquement sec. Brusquement, le boîtier bascula sur le côté tandis qu'un petit groupe de gens compressés les uns contre les autres s'en extirpait à quatre pattes. Et eux aussi grandissaient ! Ils grandissaient à toute vitesse, comme lui !

Mignus s'assit, et une trentaine d'arbres s'abattirent autour de lui comme s'il s'agissait d'allumettes. Alors la table trembla sous lui. Puis il y eut un craquement. Tinker vacilla sur ses pattes et, d'un bond, sauta sur le plancher du grenier.

Mignus vit que ses compagnons étaient à deux pas de lui, à présent. Frank et Kip souriaient. Des larmes roulaient sur les joues de Lady Grant, qui serrait toujours son unique chaussure contre sa poitrine. William, Kitty et Prudence s'embrassaient en sautant de joie, ce qui se révéla être une fort mauvaise idée, car, leur poids continuant d'augmenter, les tréteaux qui soutenaient le plateau de la table cédèrent subitement. Le large panneau de contreplaqué s'écrasa sur le sol en soulevant un nuage de poussière.

Par chance, Tinker était agile. Il reniflait sous la table les petits tas de sciure – certains fleurant le garçon, d'autres la petite fille, et tous chargés de l'odeur métallique des outils – quand il perçut au-dessus de sa tête un mouvement inquiétant.

Il n'eut que le temps de faire un bond de côté, juste avant que le plateau de la table s'affaisse. Il repéra le garçon assis au beau milieu d'un fouillis de rails, l'air un peu ahuri, mais sain et sauf. Tinker trottina vers lui et lui donna un nouveau coup de langue, par amitié, bien sûr, mais surtout parce que, décidément, il sentait trop bon.

Et à côté, affalée sur un tas de maisons miniatures en ruine, il y avait sa chère vieille dame, se frictionnant la hanche d'une main et ôtant, de l'autre, des débris divers de ses cheveux. Elle eut droit à son coup de langue, elle aussi. Les autres semblaient quelque peu abasourdis, ce qui était bien normal, car le décor qui les entourait avait radicalement changé. Pour sa part, Tinker trouvait ça fort satisfaisant.

À quatre pattes, Mignus se fraya un chemin à travers les décombres vers le petit groupe. Mais un bloc de pierre rectangulaire, qui n'était pas là une minute plus tôt, lui bouchait le passage. Le garçon se redressa, piétinant la scierie, et entreprit de le contourner. Cependant le bloc devenait de plus en plus gros. Levant la tête, Mignus comprit qu'il s'agissait du socle portant la statue du parc, et que l'homme et la femme sculptés le dominaient de très haut, comme lorsqu'il était miniaturisé. D'autres éléments du décor grossissaient-ils ? Un coup d'œil alentour lui apprit que non.

Il y eut alors un formidable craquement, un bruit de bois qui éclate.

Kip bondit et entraîna Prudence en s'exclamant :

– Fichons le camp ! Ce socle de pierre est trop lourd. Le plancher du grenier ne va pas tenir !

Mignus rejoignit ses amis devant la porte du grenier.

Il fut obligé de crier pour couvrir la plainte des lames de parquet, en train de se rompre :

– Que se passe-t-il ?

– Croyez-moi, dit Kip, je connais les réactions du bois. Ce plancher va s'effondrer d'une seconde à l'autre. Descendons vite, et sortons de cette maison !

Ils déboulèrent dans l'étroit escalier. Tinker aboyait comme un fou et semblait être partout à la fois : devant eux, derrière, dans leurs jambes. Ils franchirent le palier et s'élancèrent dans l'escalier principal. Ils dévalèrent une volée de marches, une autre, une autre encore, poursuivis par les effrayants gémissements du plancher, pliant peu à peu sous le poids de la statue. Au moment où ils atteignaient le hall d'entrée, un gros morceau de plâtre se détacha du plafond et s'écrasa sur le sol, couvrant de poussière blanche le tapis crasseux.

–Dehors, tout le monde ! les pressa Kip.

D'un coup de pied, Frank ouvrit la porte. Ils surgirent à l'extérieur dans une folle bousculade, Tinker bondissant autour d'eux et jappant d'excitation. Dès qu'ils eurent gagné la relative sécurité du trottoir d'en face, ils se retournèrent. Un instant, la maison leur parut normale, autant qu'une bâtisse aux murs barbouillés de suie, aux fenêtres peintes en noir, au toit hérissé de cheminées pareilles à des doigts crasseux puisse être qualifiée de *normale.* Puis, avec un grondement infernal, les poutres cédèrent, et le socle de pierre portant les deux statues passa à travers le plancher du grenier. Il poursuivit sa chute comme une bombe, crevant l'un après l'autre les plafonds des étages avant de s'enfoncer, avec un bruit de tonnerre, dans le sol du rez-de-chaussée.

Il se passa alors une chose étrange. La maison *soupira.* Les rescapés entendirent sa profonde expiration désolée, comme si elle avait abandonné toute résistance.

Les cheminées lâchèrent les premières. L'une se renversa, puis une autre, et une autre encore, leurs briques charbonneuses rebondissant sur les ardoises. La toiture vibra, s'affaissa de l'intérieur, comme avalée par l'excavation creusée dans les planchers. Les murs capitulèrent les derniers : ils se lézardèrent, s'affalèrent lentement avant de s'écrouler en rugissant, et la demeure tout entière disparut dans un épais nuage de poussière noire.

Et la poussière les enveloppa. Elle sentait le rat crevé, le matelas moisi et la vieille basket. Tous se bouchèrent le nez le temps que la puanteur se dissipe, sauf Tinker, bien sûr. D'ailleurs, même s'il en avait été capable, il ne l'aurait pas fait, car, pour lui, aucune odeur n'était réellement mauvaise, mais simplement plus ou moins *intéressante.*

La sculpture représentant l'homme et la femme agenouillée, son socle de pierre à moitié enterré dans les débris de briques et d'ardoises, émergeait des décombres. Et on aurait dit que…

Mignus, la gorge irrité par la poussière, coassa :

– Qu'est-ce qui se passe ?

– Il se passe que ça me dépasse ! commenta William.

Muet, Kip désignait la statue. La pierre se craquelait comme une coquille d'œuf. Un large fragment se détacha de la tête de l'homme ; un autre tomba du bras de la femme. Les fissures se multipliaient, la surface de pierre éclatait par morceaux, révélant peu à peu deux véritables corps humains. L'homme se secoua, se débarrassant des dernières croûtes de pierre qui le recouvraient. Se penchant, il ôta celles qui adhéraient encore au corps de la femme. Puis il la prit par la main pour l'aider à se relever, et ils s'enlacèrent un long moment. Ils se tournèrent alors vers le petit groupe qui les regardait, stupéfait, depuis le trottoir d'en face.

Le couple enjamba les décombres et traversa la rue. L'homme se dirigea vers Frank et lui serra la main :

– Merci !

La femme embrassa l'électricien sur les deux joues.

– Merci, dit-elle à son tour.

Ils allèrent vers chacun, l'homme serrant les mains, la femme embrassant tout le monde. Tinker lui-même eut droit à une caresse et à un baiser sur le nez.

Ils s'avancèrent enfin vers Mignus.

Le garçon les observait avec perplexité. Leurs visages avaient quelque chose de familier qu'il n'arrivait pas à définir. Des amis d'autrefois, peut-être ? De *très bons* amis. L'homme était un grand brun avec de petites rides au coin des yeux quand il souriait. Et il souriait en regardant Mignus. La femme était menue ; ses cheveux roux bouclaient sur ses épaules. Elle avait des yeux bleus piquetés de petits éclats dorés. Elle souriait, elle aussi. Mignus la trouva très jolie. Il tendit la main :

– Bonjour. Je m'appelle Mignus Wisard.

– Oh non, fit l'homme. Tu ne t'appelles pas Mignus, mais Sigmun Wisard. Je le sais, parce que je suis ton père.

– Moi, je suis ta maman, dit la femme.

Mignus vit que, sans cesser de sourire, elle pleurait. Elle s'essuya les yeux d'un revers de main, renifla et ajouta :

– Et tu as besoin d'un bon bain !

Tous s'exclamèrent, les pressèrent de questions. Il y eut de nouveau des serrements de mains et des embrassades, encore des exclamations, encore des questions.

Mignus, lui, était incapable de prononcer un mot, tant son cœur battait. Il avait envie de pleurer sans savoir très bien pourquoi. Il se tenait là, interdit, souriant à cet homme qui était son père, à cette femme qui était sa mère ; et, entre effusions et réponses aux questions, ceux-ci le regardaient et lui souriaient.

Enfin, profitant d'une accalmie au milieu de ce brouhaha, le garçon tira la manche de l'homme et demanda :

– Sigmun ?

– C'est ton prénom, lui confirma son père. Celui que nous t'avons donné à ta naissance, un mélange des débuts de nos deux prénoms, à ta mère et à moi. Je suis Simon Wisard. Ta maman, c'est Muriel. Le warlack t'a surnommé Mignus parce que les warlacks aiment embrouiller les choses. Il a utilisé les lettres de Sigmun et en a fait Mignus. C'était une autre façon de s'emparer de toi.

Mignus réfléchit un instant. Puis il déclara :

– Ça ne me dérange pas de m'appeler Mignus. J'y suis habitué.

– Oh ! fit l'homme. Si tu préfères, on continuera de t'appeler Mignus.

– Merci beaucoup, dit Mignus.

Qu'avait-il soudain aux yeux? Il battit des paupières pour les débarrasser du liquide tiède qui lui brouillait la vue.

Changeant de sujet, et réellement curieux de savoir, il demanda :

–Basil disait que vous aviez été tués par un serpent. Ce n'était pas vrai ?

Simon Wisard haussa un sourcil :

–Qu'est-ce que tu en penses ?

Un petit sourire lui relevait les coins de la bouche.

Eh bien, répondit Mignus, Basil ne mentait jamais. Du moins, pour autant que j'ai pu le constater.

–C'est exact, opina Simon Wisard. Et il n'a pas menti à propos du serpent. Simplement, il n'a pas dit toute la vérité. En particulier, il ne t'a pas dit que ce serpent lui appartenait, et que c'était un serpent mort, tout ce qu'il y a de plus mort ! Ce n'était même pas un serpent entier, rien qu'une très ancienne tête momifiée. La tête d'un serpent qui se tortillait jadis sur la tête de Méduse.

–La tête de qui ?

–Méduse, la Gorgone. Tu n'en as jamais entendu parler ?

Mignus fit non de la tête. Simon Wisard se tourna vers Muriel et murmura :

–Il n'a pas seulement besoin d'un bain, ma chérie, mais aussi d'une *éducation* !

Posant sa main sur l'épaule de Mignus, il reprit :

– Méduse, mon garçon, était un horrible monstre qui vivait il y a des milliers d'années. Son apparence était assez normale, pour un monstre, hormis le fait que sa chevelure était constituée d'affreux serpents. J'ignore comment elle pouvait dormir, la Gorgone, avec ces tortillements et sifflements perpétuels autour de sa tête ! Toujours est-il qu'il suffisait de *regarder* Méduse pour être changé en pierre. Un simple coup d'œil sur sa vilaine figure et – bang ! – tu te retrouvais bloc de granit ! Bref, pour te résumer l'histoire…

– Oh, continue, s'il te plaît ! pria Mignus, captivé.

– Je te ferai un récit complet plus tard, promis. L'essentiel, c'est que Basil était entré je ne sais comment en possession d'une de ces têtes de serpent momifiées, un objet plutôt rare, de nos jours. Et il s'en est servi contre nous. Car, même morte et séparée du crâne de Méduse, cette tête avait encore du pouvoir. Pas assez pour nous pétrifier tout entier, mais suffisamment pour nous recouvrir d'une carapace de pierre avant qu'on ait eu le temps de demander : « Que tenez-vous donc à la main, Basil ? » Tu vois, il t'a dit la vérité, d'une certaine manière.

Mignus avait très envie d'en apprendre davantage sur la Gorgone et ses maléfices, mais Mme Wisard leva soudain les yeux vers le ciel et déclara :

–Il se fait tard. Il est temps de rentrer chez nous.

–Chez nous ? répéta Mignus, incrédule.

–Chez nous ! reprit Simon Wisard. C'est une grande et belle maison à la campagne. Il y a de vastes prairies, des ruisseaux, un petit lac. Elle doit toujours être debout. Seules les hideuses bâtisses comme celle-ci s'écroulent sans crier gare ! Si nous allions voir ?

Mme Wisard caressa la tête de Mignus, et celui-ci aima qu'on lui caresse la tête. Se penchant vers lui, sa mère murmura :

–Oui ! Si nous allions voir, tous les trois ?

–D'accord ! dit Mignus, persuadé que tout le monde entendait les battements assourdissants de son cœur.

Simon Wisard se tourna vers les autres :

–Vous avez perdu, dans cette affaire, quelques années de votre vie. J'aimerais vous aider, si vous le permettez. Pour commencer, nous avons tous besoin de repos. Aussi, je vous invite à passer quelque temps chez nous. La maison est grande, et vous pourrez rester autant qu'il vous plaira, jusqu'à ce que vous soyez de nouveau sur pied.

Lady Grant, tenant toujours sa chaussure serrée sur son cœur, s'avança en boitillant :

–C'est très gentil à vous, monsieur Wisard. Mais, à propos de pied, j'ai malheureusement perdu, comme vous pouvez le constater, l'une de mes précieuses Manolo. Elle est quelque part sous cet immonde fatras. Je serai donc incapable de marcher longtemps.

–Nous pouvons peut-être arranger ça, dit Simon Wisard. Attendez une minute !

Il fit quelques pas sur le trottoir, les sourcils froncés, apparemment plongé dans une profonde réflexion. Puis son visage s'éclaira, et il marmonna pour lui-même :

–C'est fou comme les choses vous reviennent vite en mémoire !

Il renversa la tête en arrière, ferma les yeux et récita doucement : « *Cathalme stribenrallo Manolo carfax.* »

–Qu'est-ce qu'il a dit ? s'étonna William.

Lady Grant émit un petit cri joyeux, et toutes les têtes

pivotèrent vers elle. La dame, tenant toujours sa chaussure droite, regardait fixement ses pieds. Ils étaient toujours nus. Mais juste à côté de son pied gauche était posée une chaussure gauche à talon haut, cabossée et couverte de poussière.

– Elle est un peu mal en point, s'excusa Simon Wisard. Toutefois, la voilà sortie des décombres !

– Oh, mes amis ! balbutia Prudence. Oh, mes chers amis ! Venez ! Je crois qu'il est grand temps de nous éloigner d'ici !

Radieuse, Muriel Wisard parcourut le petit groupe du regard :

– Ne vous inquiétez pas ! Ce n'est qu'un peu de magie.

– C'est bien ce qui me fait peur, madame Wisard, reprit Prudence avec un sourire contraint. Sans vouloir vous offenser, qui est exactement votre mari ?

– C'est un enchanteur, Miss Peyser. D'où nos ennuis !

– Vos ennuis ?

– Nos ennuis avec Basil Tramblebone ! Enfin, ceci est une autre histoire. Ne vous faites aucun souci, mon mari n'est qu'un enchanteur mineur.

– Oh, je vois ! Mais sans doute souhaitiez-vous garder le secret ? Nous… je veux dire, nous autres, humains ordinaires, nous n'étions pas supposés connaître sa véritable identité, n'est-ce pas ?

–Eh bien, répondit Muriel Wisard sur le ton de la confidence, je crois préférable que vous la connaissiez. Vous avez vécu tout ça, vous aussi. Et vous avez affronté un warlack! Qu'est-ce qu'un simple enchanteur, à côté ? Mon époux est très gentil, je vous assure. Il ne ferait pas de mal à une mouche. Sauf si...

Muriel Wisard baissa la voix :

–Sauf si cette mouche était un warlack, évidemment.

Elle adressa à Prudence une grimace complice qui signifiait : vous voyez de quoi je veux parler, n'est-ce pas ? Puis elle fronça les sourcils d'un air dégoûté :

–Et maintenant, quittons vite cet horrible endroit !

Il n'y eut aucune objection, ce qui n'avait rien d'étonnant. Prudence Peyser glissa seulement à l'oreille de Lady Grant :

–Un enchanteur *mineur* ? Ce n'est pas mon opinion, voyez-vous ! Je dirais plutôt un enchanteur *majeur* !

–Vraiment ? fit Lady Grant.

Ravie de côtoyer de prestigieux représentants des arts magiques, elle s'écarta de Prudence, afficha son sourire le plus conquérant, et se précipita vers M. et Mme Wisard.

Mais, avant qu'elle ait pu prononcer la moindre parole flatteuse, Muriel Wisard avait pris Mignus par une main, Simon Wisard par l'autre, et tous trois ouvrirent la marche, entraînant la petite troupe loin de ce lieu maudit.

Dès que la rue fut de nouveau déserte, le petit nuage noir, qui jusqu'à présent était resté suspendu au-dessus de la maison, descendit et flotta au ras des décombres, à la recherche de quelque chose sur quoi pleuvoir. Là où le trottoir longeait autrefois la façade, il y avait deux flaques, épaisses et verdâtres, une grande, allongée, et une petite, ronde. Ces espèces de bouillies attirèrent le petit nuage. Il s'installa pile à la verticale et lâcha sa pluie.

Sous l'averse, les deux flaques se diluèrent, se mêlant à la poussière noire, et formèrent une mare grasse. Celle-ci coula bientôt dans le caniveau, suivit la légère pente et, rencontrant une grille d'écoulement, s'engouffra en gargouillant dans l'obscurité des égouts.

Le petit nuage expulsa une dernière goutte. Alors, complètement tari, il éclata avec un *pop !* de bouteille qu'on débouche ; et il n'en resta rien.

Dans la collection Estampillette

Cendorine et les dragons
de Patricia C. Wrede
Illustré par Yves Besnier

Cendorine contre les sorciers
de Patricia C. Wrede
Illustré par Yves Besnier

Mark Logan
de Claire Paoletti
Illustré par Diane Le Feyer

Mignus Wisard
et le secret de la maison Tramblebone
de Ian Ogilvy
Illustré par Éric Héliot